∞

¿Qué es el Cielo?

Otras obras de Madre Angélica:

Orando con Madre Angélica:
Meditaciones sobre el Rosario, el Vía Crucis
y otras Oraciones

Respuestas, No Promesas: Soluciones
sencillas a los problemas de la vida
Por Madre Angélica y Christine Allison

Madre Angélica

¿Qué es el Cielo?

EWTN PUBLISHING, INC.
Irondale, Alabama

EWTN Publishing, Inc.
5817 Old Leeds Road, Irondale, AL 35210

Distribuido por Sophia Institute Press, Box 5284, Manchester, NH 03108.

paperback ISBN 978-1-68278-232-3
ebook ISBN 978-1-68278-233-0
Library of Congress Control Number: 2021933591

First printing

∞

Contenido

Introducción

∞

Madre Angélica Live! (*Madre Angélica en vivo*) salió al aire en 1983, dos años después de que EWTN empezara a transmitir su programación. El programa fue una apuesta riesgosa en varios aspectos. En primer lugar, fue un experimento de televisión en vivo. Segundo, se trataba de un programa con una sola anfitriona, por lo que cada edición dependía exclusivamente de ella. Finalmente, la anfitriona era una monja de clausura vestida con su hábito tradicional.

Sin embargo, el programa *Madre Angélica en vivo* tenía el punto más importante a su favor: la anfitriona -de la que todo dependería- era la divertida, simpática, sabia y, lo más importante, siempre devota Madre María Angélica. Ella había entendido de una manera profunda que, aunque pudiera parecer que estaba a cargo de todo, cada programa dependía principalmente de la gracia de Dios: cualquier cosa buena que pudiera surgir de sus palabras sería obra de Él. Así que antes de cada emisión del programa, ella se preparaba orando ante el Santísimo Sacramento, confiándolo todo a Él.

Madre Angélica siempre estuvo fascinada con el Cielo, por lo que no es extraño que haya dedicado varios episodios a ese tema, especialmente en las etapas iniciales del programa -que llegaría a cerrar un ciclo de dieciocho años en la televisión-. Los capítulos que conforman este libro –ahora en tus manos- provienen de siete episodios emitidos en 1986, durante los cuales la Madre aleccionó a su creciente audiencia en torno a la bienaventuranza eterna que Dios ha preparado para nosotros, si es que elegimos ir tras ese don. La Madre vivió con esa conciencia celestial que hace que todo se mantenga en la perspectiva correcta en esta vida, algo que queda en evidencia en la forma como ella presenta estos fascinantes contenidos, muy propios de la mística.

Los referidos episodios fueron hechos en el estilo espontáneo, ingenioso y distintivo de Madre Angélica; mientras que las transcripciones han sido editadas para facilitar la lectura. Afortunadamente, la sabiduría en toda su pureza y la gran personalidad de Madre Angélica permanecen incuestionablemente intactas en el texto. He aquí la clave: Madre Angélica está hablando a su familia televisiva - y ahora contigo - sobre nuestras más grandes esperanzas y los más profundos temores de la humanidad; y lo hace con una voz de caridad, honestidad y consuelo, que es siempre vigente.

∞

¿Qué es el Cielo?

Capítulo 1

∞

¿Qué es el Cielo?

∾

Para casi todos nosotros, el Cielo es algo un poco abstracto, del tipo de cosas que no se entienden con claridad.

Con frecuencia, esperamos con entusiasmo eventos como graduaciones, doctorados, bodas, etcétera, pero cuando nuestras expectativas son muy grandes, el evento, cuando ocurre, parece haber perdido algo. Por eso, me imagino, no nos gusta hablar del Cielo. Tenemos mucho temor de que no se parezca en nada a lo que esperamos, y por eso comenzamos a dudar.

San Pablo dijo: "Lo que ni el ojo vio, ni el oído oyó, ni al corazón del hombre llegó, lo que Dios preparó para los que le aman" (1 Corintios 2, 9). Cómo es el Cielo, en realidad, es algo que ni siquiera hemos podido concebir con nuestros ejercicios imaginativos más creativos. En el mundo, tú y yo anhelamos la felicidad, pero aun así la vida no deja de estar cargada de un poquito de amargura, incluso hasta cuando estamos felices. Eso es porque, en el momento que tenemos algo que nos hace felices, tenemos miedo de perderlo. La felicidad, aquí en la tierra, siempre es agridulce.

Nos aferramos tanto a esta felicidad que nos sentimos desconsolados cuando la perdemos. Eso es porque la felicidad es un oasis en el desierto. Cuando estamos en ese oasis, no queremos ir a ningún otro lado. Cuando nos vamos, no queremos pensar en el desierto alrededor, así que nos imaginamos que no existe. Luego, cuando estamos en el desierto, si alguien nos habla del Cielo -lejano, perdido en una distancia impenetrable-, no nos provoca escuchar nada al respecto. Vivimos en una época en la que nos engañamos nosotros mismos acerca de dónde se encuentra la verdadera felicidad.

Aun así, aunque pudiésemos vislumbrar algo de la vida eterna, no estaríamos preparados para ello. No sabríamos lo que significa. Quisiéramos llegar allí inmediatamente o con rapidez, pero no podemos; así que nos imaginamos que lo que tenemos aquí y ahora es todo lo que hay. Pero si lo que tenemos ahora fuese todo lo que hay, no seríamos en nada diferentes a un perro, porque lo que tiene un perro ahora es realmente todo lo que tiene. No obtendrá nada más cuando muera -lamento tener que decirte que no vas a encontrar a tu perro en el Cielo moviendo su colita-. El perro no tiene un alma inmortal.

¿Qué es el Cielo?

Para la mayoría de nosotros es difícil pensar en el Cielo, especialmente para aquellos, como yo, que no tenemos mentes muy creativas. Preferimos las cosas que podemos ver. Pensamos: "No me digas cómo va a ser. No. ¡Quiero saberlo ahora!".

Al menos ocupémonos de la siguiente pregunta: "¿Por qué le tenemos miedo a la muerte?". Primero, la mayoría de nosotros le teme al juicio. No tenemos la seguridad de habernos arrepentido lo suficiente por nuestros pecados, ni siquiera de si los recordamos en el momento oportuno. Eso es así porque no hemos comprendido completamente la hermosa verdad del amor paternal de Dios, su consuelo y su perdón. Cuando Dios perdona, perdona y olvida.

Aun así, muchas veces le tenemos miedo a Dios y a su Reino. ¿Por qué le tenemos miedo a un Padre tan generoso, tan amoroso y compasivo que está dispuesto a decirnos "borrón y cuenta nueva" una y otra vez? ¿Cuántas personas hacen lo mismo? ¿Conoces a alguien así? La mayoría de la gente perdona, pero no olvida. Casi siempre quedan pequeños rezagos como sombras.

Muchos de los primeros cristianos llevaron vidas licenciosas, pero tenían una fe que les aseguraba que una vez que Dios les concedía el "borrón y cuenta nueva" tras la Confesión, podrían buscar, desear y ganar el Cielo. ¿Por qué? Porque Dios es nuestro Padre.

¿Qué es el Cielo?

La fe de aquellos hombres era tan real que cuando fueron puestos en la arena para enfrentar a los leones, cuando Pedro y Andrés fueron crucificados, cuando Bartolomé fue desollado vivo, todos confiaron en que el poder de Dios estaba allí para protegerlos. Cuando San Esteban fue apedreado, vio el Cielo abrirse y vio a Jesús a la diestra del Padre. Mientras lo atacaban, su rostro resplandecía como el de un ángel, al tiempo que exclamaba: "Señor Jesús, recibe mi espíritu... no les tengas en cuenta este pecado" (Hechos 7, 59-60).

Tenemos que saber qué tenían esos cristianos que nos falta hoy, y qué es lo que ha asfixiado el cristianismo auténtico en nuestros corazones. ¿Qué hay en nuestras vidas que sofoca la verdad? ¿Qué es capaz de cubrirla por completo? ¿Las riquezas? ¿El deseo de la gloria humana? ¿La lujuria? ¿El alcohol? ¿El sexo? ¿Es acaso el orgullo? ¿Qué es eso que oculta a nuestros ojos la gloria del Reino y nos hace desear lo más bajo? ¿Qué es o quién es ese que ciega nuestros ojos hasta el punto de querer vivir en una casita de cartón en lugar de una mansión? ¿Qué hay en nuestras vidas que distorsiona tanto los hechos de la vida?

La santidad en esta vida no es complicada. Consiste en centrarse en una sola cosa: la voluntad de Dios. ¿Sabes lo que Nuestro Señor le dijo a la Hermana Lucía de Fátima? Le dijo lo siguiente: "El sacrificio que cada uno puede hacer es cumplir con su deber y obedecer mi ley. Esa es la forma de penitencia que ahora exijo". Esto es, ser fieles cumplidores de los deberes propios de nuestro estado de vida; aferrarnos a Dios; ser fieles a su mandato, a su ley y a su Iglesia. Esto es lo que significa ser santo.

Es necesario que entendamos que alrededor nuestro se extiende una especie de cobertura, semejante a esas láminas de plástico rugoso que usamos en la cocina. Estamos obligados a forzar la vista para mirar a través de todas las cosas que están en el mundo y que impiden que la visión de la verdad llegue a nuestros ojos, así como también impiden que la meta real de nuestras vidas se grabe en nuestros corazones. Es necesario recordar que somos pueblo de Dios que debería saber dónde se encuentra y hacia dónde va.

Una de las cosas que nos preguntamos cuando hablamos del Cielo es: "¿Es el Cielo un estado o es un lugar?" Por un estado quiero decir: ¿es algo dentro de uno mismo, como un estado de ánimo o una disposición del corazón? ¿O se trata de un lugar definido?

Veamos lo que dijo Jesús: "Nadie ha subido al cielo sino el que bajó del cielo, el Hijo del hombre". (Juan 3, 13). Es importante entender esto porque puede decirnos mucho sobre el Cielo. Primero Jesús afirma, "nadie ha subido al cielo sino el que bajó del cielo", lo que nos sugiere que el Cielo es un lugar definido. Pero luego cierra la frase mencionando a "el Hijo del Hombre". Sabemos que Jesús era divino y humano. Tenía una personalidad divina, pero poseía tanto naturaleza humana como divina: dos naturalezas, una sola persona. Entonces el Señor, en su divinidad, siempre estuvo en el Cielo, lo que significa que también es un estado.

En consecuencia, el Cielo es tanto un lugar como un estado. Es algo que podemos vivir ahora mismo, estando con Dios mientras Dios está en nosotros; pero también es un lugar. Cuando morimos, nuestros cuerpos se quedan aquí. Vuelven al polvo del que fuimos creados. Nuestras almas, por el contrario, se elevan y son juzgadas. Lo primero que veremos al morir es a Jesús.

A veces, como meditación, me imagino en mi lecho de muerte. Y de repente, siento que mi alma abandona mi cuerpo. Uno no está muerto, sin embargo, por mucho tiempo, no precisamente cuando comienza el momento más glorioso de la vida. Todo el propósito de la vida, todo el propósito de Dios al sacarnos de la nada y traernos a este mundo, todo el propósito de este viaje transformador se nos presentará cara a cara. Veremos a Dios. Escucharemos su voz. Inmediatamente, me imagino, veremos imágenes de toda nuestra vida: lo bueno, lo malo y lo irrelevante. Aunque creo que lo más importante que sucederá es que desearemos correr hacia los brazos del Señor.

Una vez estaba haciendo copias de fotos y tenía dos negativos del mismo diseño. El Señor me dijo: "Angélica,

¿ves esos negativos?" dije: "Sí, Señor". Él me respondió: "Ponlos juntos". Los puse juntos y quedaron perfectos: no pude ver la más mínima diferencia entre ellos; parecían un solo negativo. Él añadió: "Eso es el Cielo. Cuando me veas cara a cara y mi imagen en ti sea perfecta por tu muerte, tú y yo seremos uno".

Luego me dijo: "Mueve un poco el negativo". La imagen se volvió borrosa debido a la distorsión. "Esa es una imagen del Purgatorio", me dijo. Me di cuenta de que estaba diciendo eso porque le había dicho "no" tantas veces que no podría verlo claramente ni acercarme a él, aunque tenga todas las ganas de estar con Él, debido a su belleza, su amor y compasión. Eso es el Purgatorio.

Luego dijo: "Separa los negativos". Hice lo que me pidió y cada uno quedó por separado. Me dijo: "Eso es el infierno… cuando un alma me mira en la muerte y me dice: 'No te amo' y se aleja de mí".

La muerte no es tanto un juicio como una luz reveladora. Nosotros, como cristianos, debemos hablar con gran entusiasmo y gran asombro sobre el Reino que está por venir. El Reino de los Cielos, después de todo, está dentro de ti, está a tu alrededor, está por encima de ti. "Nadie ha subido al cielo sino el que bajó del cielo, el Hijo del hombre". (Juan 3, 13). Por eso es tan importante pensar en el Cielo: comenzamos nuestro Cielo, nuestro purgatorio o nuestro infierno aquí mismo. Y no vamos a brincar simplemente de un estado a otro.

Una de las razones por las que el Cielo es tan difícil de entender para nosotros es que, en el Cielo, todos seremos amados con total desinterés. ¿Te imaginas estar en un lugar o en una familia donde todos los miembros se aman real y verdaderamente? Si lo puedes hacer, entonces vives en el Cielo aquí.

En la cultura actual, hablamos mucho sobre el amor. Sin embargo, me pregunto cuánto amamos realmente. ¿Estaría el mundo en las condiciones en las que está si todos amáramos a todos? Si todos amáramos a todos a nivel humano y divino, no tendríamos terrorismo, prejuicio, egoísmo, robos, asesinatos o cualquier otra cosa mala que se pueda imaginar. No tendríamos miedo. No habría mentiras ni engaños, ni adulterio ni lujuria.

Puede que pienses: ¡esto es imposible! ¡Pero no! ¡No es lo es! Jesús lo hizo posible. Somos tú y yo quienes lo hacemos imposible.

Podríamos preguntarnos: ¿Qué haremos en el Reino? Primero, ¡simplemente seremos amados por todos! No habrá nadie persiguiéndonos, odiándonos, pensando que somos un estorbo o unos inútiles. En el Reino, no habrá más soledad. Podremos hablar con las mentes más brillantes del mundo entero. Podremos conversar con los ángeles,

¡espíritus gloriosos! Podremos mirar al Padre cara a cara. Ni siquiera somos capaces de imaginar ese tipo de alegría.

¡Seremos libres! No habrá más miedo. Nadie en el mundo sabe lo que es no tener miedo. Todo el mundo tiene algún tipo de miedo. De hecho, creo que hoy hay más miedo en nuestra sociedad que en cualquier otro tiempo. Tenemos miedo a todo y a todos. Y frecuentemente tenemos miedo incluso de nosotros mismos. En el Cielo, esas cadenas serán arrancadas y, en lugar de sentir temor y dudas -incluidas aquellas dudas que hemos tenido sobre si hay un Dios, o por qué hay un Dios, o por qué hace lo que hace-, lo veremos a Él cara a cara.

Santa Teresa de Ávila tuvo una visión de la mano de Dios. Eso es todo lo que vio de Él. Y dijo que estaría dispuesta a sufrir todo el dolor del mundo hasta el fin de los tiempos solo para ver esa mano una vez más. Tú y yo no somos capaces de comprender la majestad de Dios.

En el Cielo, en vez de simplemente esperar por Él, -tú y yo- poseeremos a Dios.

Además, nunca volveremos a desanimarnos y jamás nos cansaremos de nuevo. Eso será fantástico: nunca sentir fatiga, nunca sentirse mentalmente agotado. No habrá más un misterio que no podamos entender. ¿Cómo es que hay tres personas en un solo Dios? ¿Cómo hizo Dios todas las cosas? Esas preguntas, aparentemente imposibles, serán respondidas inmediatamente. Nunca más tendremos que preocuparnos por nuestra salvación. Sabremos que estamos enamorados de Dios y que Dios está enamorado de nosotros, y que todos los que nos rodean piensan que somos lo mejor.

También sabremos por qué sucedió cada cosa en nuestras vidas. ¡Vaya que vamos a estar avergonzados! Si fuera posible lamentarse en el Reino, lamentaríamos mucho habernos quejado tanto, haber cuestionado la providencia de Dios, su misericordia y su voluntad. Sabremos por qué sucedieron todos los dolores y tragedias en nuestra vida. Se volverá algo tan claro que miraremos a Dios y le diremos: "Gracias, Señor, por cada vez que me dijiste que no".

Nuestro Señor también dijo: "En la casa de mi Padre hay muchas mansiones" (Juan 14, 2). No todos vamos a gozar de la gloria en el mismo grado. Algunas personas piensan que cuando muramos y vayamos al Cielo, estaremos allí como una manada de ganado, todos en el mismo lugar. Esa no es la realidad.

Recuerda, no somos iguales en nada. No nos parecemos; no tenemos la misma inteligencia; no tenemos el mismo talento; no tenemos el mismo dinero; ¡no tenemos nada igual! Entonces, en el Cielo, habrá grados de gloria. San Pablo dice que algunos serán enviados con oro, piedras preciosas y diamantes, y otros con madera o paja (ver: 1 Corintios 3, 12-13).

Son muchas las decepciones en esta vida: la gente, nosotros mismos, la sociedad, los gobiernos. Pero no tengas miedo: el Cielo nunca te decepcionará. Cuando lleguemos al Cielo, nos daremos cuenta de que, a pesar de nuestras debilidades, había gloria en nuestra vida diaria. A pesar de todo nuestro dolor y nuestras imperfecciones, nos daremos cuenta en el Reino de que todas nuestras debilidades, de alguna manera, iban siendo curadas camino a casa.

Aquí hay algo que es muy importante que comprendamos: tú y yo ya no seremos siervos de Dios. Jesús dijo: "No os llamo ya siervos... a vosotros os he llamado amigos" (Juan 15, 15).

En los primeros días del cristianismo, mientras los cristianos vivían sus vidas como un camino de vuelta a casa, demostraron la grandeza de su fe por medio de su pureza. La pureza es nuestro conocimiento de Dios, nuestra paciencia, nuestra bondad, nuestro espíritu de santidad y nuestro deseo del bien. Por eso es tan importante que tomemos las decisiones correctas ahora. No escuches al mundo. Escucha la Palabra. Escucha a la Iglesia. Escucha tu conciencia. Elige tu camino en la vida a favor del Señor.

Miremos a Nuestro Señor y mirémonos a nosotros mismos sin miedo. Dios nos conoce y nos ama tal como somos. Y mucho más: Él nos da la gracia de ser transformados. Eso es lo más importante de la vida. No nos convertimos de repente en el arquetipo del santo que nunca pierde los estribos, nunca cede a una tentación o nunca comete un error. Ese es una momia, no un ser humano.

Jesús mostró todo tipo de emoción: lloró, suspiró, incluso a veces estuvo enojado. No pudo permanecer indiferente ante la incredulidad de sus apóstoles. Se sintió herido cuando la gente no le dio un beso cuando entró (Lucas 7, 45).

En consecuencia, todo lo que Jesús hizo, tú y yo lo hacemos. Lo que necesitamos es querer hacerlo todo como Él. Así es como traemos el Cielo a la tierra y cómo nos preparamos para el Reino venidero.

Capítulo 2

∞

La felicidad celestial

∞

Es muy difícil imaginar las alegrías del Cielo. En la tierra todo se siente tan fugaz. Puede que estemos muy felices un día, pero al día siguiente no pasa nada especial y volvemos a la normalidad. Por eso, es difícil para nosotros imaginar un lugar y un estado donde la alegría nunca termina.

Quizás te preguntes cómo sabemos que nunca perderemos la alegría en el Cielo. Nuestra experiencia de la alegría siempre está determinada por las cosas que nos rodean. En el Cielo, estaremos rodeados de Dios, quien es la fuente de todo gozo y quien nunca cambia. Tú y yo tenemos conceptos tan abstractos del Cielo que ni siquiera podemos imaginar un Cielo sin fin.

En la tierra, todo acaba. Vamos envejeciendo. Ya no podemos hacer las cosas que solíamos hacer. Nuestros amigos y parientes van y vienen, se mudan y, eventualmente, fallecen. Ellos cambian, sus sentimientos por ti cambian; y tus sentimientos por ellos cambian. Así es la vida.

¿Qué es el Cielo?

Pasemos al capítulo veintiuno del libro del Apocalipsis: "Y oí una fuerte voz que decía desde el trono. 'Esta es la morada de Dios con los hombres'" (Apocalipsis 21, 3). ¿Te imaginas ver el rostro de Dios? "Pondrá su morada entre ellos y ellos serán su pueblo y él, Dios-con-ellos, será su Dios." (Apocalipsis 21, 3). La siguiente sección es especialmente importante para aquellos que se sienten solos o que han perdido a alguien muy cercano: "Él enjugará toda lágrima de sus ojos, y no habrá ya muerte ni habrá llanto, ni gritos ni fatigas" (Apocalipsis 21, 4). No podemos ni imaginar cómo sería estar totalmente sin esos terribles sentimientos que nos sobrevienen a altas horas de la noche y en la madrugada -esos sentimientos de tristeza, de angustia, de conmoción-.

Ahora, en esta vida, no podemos ver a Dios cara a cara. La Escritura dice que nadie puede ver a Dios y seguir vivo (ver: Éxodo 33, 20). De manera semejante, no podemos mirar directamente al sol, porque nuestros ojos no fueron hechos para mirar directamente a ese tipo de poder. Tampoco nuestros cuerpos y almas finitos pueden resistir el poder de mirar a Dios cara a cara. Una de las grandes cosas que Dios hace por nosotros cuando entramos en el Reino es darnos esta habilidad. ¿Puedes imaginar siquiera el gozo de esa gracia?

En la tierra, siempre debemos luchar por hacer lo correcto, "combatir el buen combate" (ver: 2 Timoteo 4, 7). No pasan cinco minutos sin que tengamos que tomar una decisión para bien o para mal. Los que están en el Cielo han vencido en el buen combate. ¡Qué alegría no solo haber ganado sino poder descansar de la pelea!

Nuestro gozo en el Cielo también se verá enriquecido por la presencia de nuestra familia y amigos. Dios nos hizo para ser seres sociales; en el Cielo, no seremos de pronto personas sin conexiones o amores particulares. Si somos seres sociales en este mundo agitado e imperfecto, ¿cuánto más lo seremos en el Cielo? Veremos y apreciaremos más a nuestros seres queridos.

Mi abuelo siempre tuvo una gran devoción por Nuestra Señora, la Virgen María. De hecho, si decías el nombre de María, él se quitaba el sombrero o hacía un saludo. Más adelante en la vida quedó paralítico, incapaz de mover su cuerpo, excepto la cabeza. Un día mi madre estaba en su cuarto, cambiando las fundas de las almohadas y, de repente, vio a dos personas cerca de la puerta. Se quedó paralizada, ya que aquellas personas –muy altas, por cierto- solo miraban a mi abuelo. Una de ellas dijo: "Antonio" y mi abuelo no respondió. Dijo de nuevo: "Antonio", y esta vez mi abuelo abrió los ojos y se sentó en la cama. Miró a aquellas dos personas y un par de lágrimas corrieron por sus mejillas. Todo lo que dijo fue "no", y se volvió a acostar. Aquellos visitantes permanecieron allí y dijeron de nuevo: "¡Antonio, Antonio!". Luego mi abuelo se sentó de nuevo y los miró como si de repente los hubiese reconocido. Mi madre dijo que él sonrió de oreja a oreja y asintió con la cabeza. Se recostó en la cama y murió. Dios es muy considerado. Estoy segura de que aquellos a quienes más amaste y extrañaste puede que vengan a tu lecho de muerte para decirte: "Ven".

Todos aquí en la tierra irradian a Dios de una manera diferente. En mi comunidad hay muchas hermanas y todas somos diferentes. No tenemos los mismos talentos, los mismos temperamentos o los mismos gustos. No tenemos el mismo grado de inteligencia o el mismo nivel de educación. Ni siquiera rezamos igual.

Entonces, no hay forma de que todos seamos iguales en el Reino. Una persona que ha sufrido mucho o que ha tenido muchas privaciones aquí en la tierra acumula grandes tesoros en el Cielo. Hay quienes pasan toda su vida amando a Dios y haciendo su voluntad. Luego están aquellos que no conocen a Dios y que realmente no se preocupan por Él durante la mayor parte de sus vidas en el mundo, pero que, por alguna gracia especial, cinco segundos antes de morir dicen: "Señor, lo siento" y se salvan. Hay todo tipo de personas y todo tipo de formas de conocer y amar a Dios. Esto seguirá siendo así en el Cielo, donde cada uno ve a Dios de una manera diferente. Si bien todos en el Cielo tienen acceso completo a la verdad de Dios, cada uno comprende los misterios de Dios de una manera diferente.

Esto está relacionado con el misterio del dolor y el sufrimiento en esta vida, y con la forma como nuestra realidad en el Cielo reflejará nuestra experiencia en la tierra. Basta con mirar la parábola sobre el hombre rico y Lázaro (Lucas 16, 19–31). El hombre rico tenía todo lo que necesitaba, mientras que al leproso Lázaro, los perros callejeros le lamían las llagas. Cuando ambos murieron, dijo el Señor, Lázaro fue llevado al seno de Abraham, mientras que el rico, que dependía completamente de su riqueza y no de Dios, fue enviado al infierno. Esto no quiere decir que todos los ricos bajan al infierno y los pobres suben al Cielo, pero nos enseña que este asunto no depende de lo que tengas o no tengas aquí en la tierra. Nuestro destino final depende de la cantidad de amor que tengamos por Dios cuando Él nos diga: "Ven".

Otra cosa que tenemos que entender es que la alegría del Cielo siempre será nueva. Siempre habrá algo nuevo por lo que alegrarse. En el Cielo, debido a que Dios es infinito, las cosas que podemos aprender acerca de Él no tendrán fin. Dios será por siempre nuevo para nosotros.

Tampoco tendremos recuerdos que nos asusten. Esta es otra razón por la que frecuentemente nos cuesta pensar en el Cielo, porque pensamos que vamos a estar siempre mirando arrepentidos los pecados y errores de nuestro pasado. Todo eso desaparecerá. No habrá recuerdos dolorosos ni culpa. Jesús dice: "Habrá más alegría en el cielo por un solo pecador que se convierta que por noventa y nueve justos que no tengan necesidad de conversión" (Lucas 15, 7). ¿Cómo podríamos tener más gozo en el Cielo? Nuestra capacidad de amar no cambia en el Reino, pero sentiremos una gloria especial por un pecador que se arrepiente.

No estamos acostumbrados en la vida a que nos amen tanto. Es un gran regalo de Dios cuando encontramos personas que nos aman tal como somos. Pero la gente cambia y, en consecuencia, nuestras alegrías en la vida crecen o se reducen. De hecho, dependen mucho de si alguien nos ama o no. Vas a trabajar un día y tu jefe te sonríe porque está de muy buen humor, y te sientes genial. Luego, al día siguiente, está de mal humor, y tú también te pasas el día enojado. Entonces nuestra vida es como un balancín. Sin embargo, cuanto más nos acercamos al Señor, Jesús está más en nosotros, en nuestra vida diaria; y cuanto más vemos a Dios en el momento presente, más serenidad sentimos y experimentamos menos altibajos emocionales.

Tenemos la esperanza de comenzar nuestro Cielo aquí, en esta vida. No importa en qué estado de vida nos encontremos: no hay excusa. Somos hijos de Dios, fuimos creados por Dios, fuimos puestos en esta tierra, en este lugar y en esta era; y estamos llamados a ser santos.

Lo hermoso del cristianismo es que nos da la fe para ver a Dios como realmente es, en esta vida. La alegría debe comenzar aquí. Cuando comenzamos a ver a Dios en el momento presente, aunque puede que nos lastime ese momento y, a veces, incluso devastarnos, podemos todavía tener la seguridad de que la providencia de Dios está en acción. Lo que vemos por la fe aquí en la tierra, lo veremos de manera real en el Reino.

Por supuesto, existe una enorme diferencia entre las dos realidades. Es como mirar la receta de un pastel y luego comerse un pedazo del pastel. Cuando leemos la receta, tenemos que usar nuestra imaginación. Tenemos fe en la receta. Bueno pues, si podemos tener fe en una receta, ¡podemos tener fe en Dios!

La esperanza en esta vida consiste en esperar con ansias en las promesas de Dios. El Cielo es la posesión de esas promesas. Cuando oramos, a veces nos preguntamos si Dios nos escucha. Él escucha, por supuesto, pero igual nos seguimos haciendo la pregunta. En el Cielo, podremos ir directamente al Padre -lo veremos y Él nos verá- y hablaremos con Él. Por lo tanto, el gozo será perfecto en el Cielo, y debemos comenzar a poseerlo ahora.

La alegría, después de todo, es un signo del cristiano. Los paganos del primer siglo se sintieron atraídos por la alegría de los cristianos y la forma en que se amaban los unos a los otros.

Es difícil amar y ser amado por una persona amargada. Debemos tener con ella una sonrisa en el rostro y amor en la mirada. Los primeros cristianos tenían cruces bastante pesadas, por ejemplo, la posibilidad de ser arrojados a los leones, perder sus casas y todas sus posesiones, o tener que escapar a otros países y esconderse. Pero llevaban ese signo visible de Cristo en ellos, de tal manera que si un soldado se les acercaba en la calle, podía identificarlos inmediatamente. ¿Piensas que alguien ahora podría ver a Jesús en tu rostro? ¿Podría alguien identificar ese gozo, esa señal de la presencia de Dios habitando en nosotros?

Démosle una mirada al Evangelio de Juan: "Como el Padre me amó, yo también os he amado a vosotros; permaneced en mi amor. Si guardáis mis mandamientos, permaneceréis en mi amor, como yo he guardado los mandamientos de mi Padre, y permanezco en su amor. Os he dicho esto, para que mi gozo esté en vosotros, y vuestro gozo sea colmado." (Juan 15, 9-11). ¿Cómo podemos tener una alegría completa en esta vida, que parece derribarnos todo el tiempo? La única forma es viendo la voluntad de Dios en todo y esforzándonos al máximo para ser como Jesús.

Los cristianos podemos darnos el lujo de estar alegres porque sabemos que Cristo ha resucitado. Jesús dice: "También vosotros estáis tristes ahora, pero volveré a veros y se alegrará vuestro corazón y vuestra alegría nadie os la podrá quitar" (Juan 16, 22). ¡Nadie! Esta es una promesa de Jesús, y Jesús es fiel a sus promesas.

Podríamos ser amados por diez mil personas, pero si una persona nos odia, nuestra felicidad queda empañada. Podríamos estar en un salón donde todos nos aman, pero si una persona que no puede soportarnos entra, no podríamos disfrutar esa reunión; nuestro gozo en ese momento desaparece. Si vemos la voluntad de Dios a nuestro alrededor, nuestro gozo bien enraizado no nos abandonará, aunque el sentimiento pasajero de felicidad sí podría hacerlo. En el Reino, sin embargo, la alegría y la felicidad van juntas, y nada ni nadie puede quitarnos ninguna de los dos.

En el Evangelio de San Lucas, Jesús pronuncia esta bienaventuranza: "Bienaventurados seréis cuando los hombres os odien, cuando os expulsen, os injurien y proscriban vuestro nombre como malo, por causa del Hijo del hombre" (Lucas 6, 22). Podríamos preguntar: "¿Qué se supone que debo hacer al respecto, Señor? ¿Debo correr? ¿Debo esconderme? ¿Debo cambiar? El Señor responde: "Alegraos ese día y saltad de gozo, que vuestra recompensa será grande en el cielo" (Lucas 6, 23).

Nuestro Señor es muy exigente. Si tratamos de vivir este Evangelio y nos resulta fácil, entonces no lo estamos viviendo. La verdad es que nuestro sufrimiento tiene sentido incluso en el aquí y ahora. El sufrimiento es el mayor escándalo para el mundo de hoy. Seguimos ocultándolo. Quitamos a Jesús de la Cruz. Casi no entendemos el sufrimiento en absoluto. San Lucas en su Evangelio -Lucas 6, 23- nos dice cómo debemos reaccionar ante el sufrimiento.

En el primer capítulo de la Carta a los Colosenses, San Pablo habla de los santos y cómo ellos "heredan la luz" (Colosenses 1:12). "Ahora me alegro por los padecimientos que soporto por vosotros" (Col. 1:24). Ahí está lo que buscamos: "la alegría". Pablo lo entendió. La alegría es la señal del cristiano porque, aunque en la vida vivimos por la fe, vivimos en la esperanza de lo que está por venir, y en el amor a Dios y al prójimo.

San Pedro dice en su primera carta: "Queridos, no os extrañéis del fuego que ha prendido en medio de vosotros para probaros, como si os sucediera algo extraño, sino alegraos en la medida en que participáis en los sufrimientos de Cristo, para que también os alegréis alborozados en la revelación de su gloria" (1 Pedro 4, 12-14). La alegría que está por venir debe comenzar a tomar forma aquí mismo. Esta es la señal de la esperanza, la señal de la fe y la señal del amor; la señal que Jesús ha puesto sobre nosotros, porque Dios es fuente de alegría en el Cielo y -mientras nos toque enfrentar las adversidades de la vida- fuente de alegría aquí en la tierra.

Capítulo 3

∞

El Trabajo de los Santos

Hablemos sobre nuestro trabajo en el Cielo. Puede que pienses: "¡Trabajé toda mi vida! ¡No quiero trabajar en el Cielo!" La cuestión de qué haremos en el Cielo realmente ha confundido a millones de personas durante siglos. Podemos empezar aquí: un "lugar de felicidad" no puede ser un lugar de ocio. No podemos ser felices y estar inactivos porque, en cierto sentido, nos desintegramos: aquí en la tierra, nuestros músculos se desintegran y, en un sentido más amplio, nuestra naturaleza se desintegra o se degrada. Recuerda que incluso Adán y Eva trabajaron en el Jardín del Edén. Entonces, dado que el Cielo, como el Jardín del Edén, es un lugar de felicidad total, el sentido común nos dice que debe haber algún tipo de trabajo en el Cielo.

El primer capítulo del Génesis habla del trabajo de Dios: que Él trabajó durante seis días y descansó el séptimo. Imaginemos por un momento a Dios en el Cielo antes de crearnos a ti y a mí, cuando no había nada más que Dios. No había ángeles, ni hombres, ni árboles, ni flores, nada excepto la Trinidad: el Padre, el Hijo y el Espíritu Santo. Dios tuvo que crear todo, ¡y eso fue mucho trabajo! Debemos recordar que todo ha sido creado por Dios. Trabajó para crear las montañas, los cielos, el aire, el agua, los animales, las verduras y las frutas.

La labor de Dios continúa. Jesús dijo: "Mi alimento es hacer la voluntad del que me ha enviado y llevar a cabo su obra" (Juan 4, 34). Nuestro problema es que no tenemos ningún otro concepto de trabajo excepto como algo que requiere esfuerzo y genera fatiga. Hemos perdido la alegría y la creatividad del trabajo porque, para la mayoría de nosotros, es una tarea difícil. Lo único que cambia en el Reino es el tipo de trabajo.

¿Por qué trabajamos aquí? Trabajamos para comer, dormir, pagar la renta, pagar nuestras facturas. Trabajamos para mantener nuestros hogares, para cuidar nuestras familias y nuestra salud física. En las Escrituras vemos un concepto diferente de trabajo, porque en el Cielo no hay necesidad de ganarse la vida, ni de comer, ni de dormir. Ese tipo de trabajo será innecesario. Pero hay otros tipos de trabajo: "Las obras que el Padre me ha encomendado llevar a cabo, las mismas obras que realizo, dan testimonio de mí, de que el Padre me ha enviado" (Juan 5, 36).

Cuando miramos la vida de Jesús, queda claro que el trabajo más grande que Él emprendió fue nuestra santificación. Incluso antes de sanar a las personas físicamente, sanó sus almas. Perdonaba sus pecados, o pedía fe y humildad antes de sanar sus cuerpos. Esta fue su obra más grande. Es por eso que nos parece tan confuso hablar de trabajar en el Cielo. Allí ya no tendremos que trabajar para sostener el cuerpo -ese tipo de vida terminará-; allí, más bien, haremos el trabajo del alma.

El trabajo más grande no es el que cambia las cosas, sino el que cambia a las personas. El trabajo más grande que tendremos, incluso en esta vida, no es nuestra carrera u otros logros mundanos, sino nuestra santificación y la de nuestros amigos, familiares y la de todos aquellos que están en nuestras vidas. ¿Nos hemos entregado a la voluntad de Dios para ser santos como Él es santo? Ese es el trabajo realmente duro, porque tenemos que tomar las riendas de nuestras vidas y tomar el control. Tenemos que ser amables cuando no queremos ser amables; tenemos que arrepentirnos cuando nos sentimos furiosos. Si no creemos que eso es realmente un trabajo, es porque no hemos trabajado realmente.

En el libro de Daniel, un ángel se le aparece y le dice: "No temas, Daniel, porque desde el primer día en que tú intentaste de corazón comprender y te humillaste delante de tu Dios, fueron oídas tus palabras, y precisamente debido a tus palabras he venido yo" (Daniel 10, 12). Este es un ángel del Señor, que está en el mismo Reino en el que tú estarás y que hace las mismas cosas que tú harás. Visitar la tierra para dirigirse al pueblo de Dios es una de las obras del Cielo. Santo Tomás de Aquino dijo que todas las galaxias del universo de Dios están gobernadas por los ángeles, para mantenerlas en su curso. Los científicos pueden reírse de esto, pero eso se debe a que tendemos a olvidar que Dios no está sentado ahí arriba sin hacer nada. Cuando nuestros cuerpos se unan, una vez más, con nuestras almas en la resurrección general, juntos vamos a tener que hacer muchas otras cosas.

Podríamos estar pensando que no queremos hacer solo obras espirituales en el Cielo. Pero, ¿podemos pensar en algo mejor? ¿Es acaso mejor nuestro trabajo en la tierra? Trabajamos toda la semana y luego la mitad de lo que ganamos va al gobierno. En cuanto a mí, creo que me quedaría muy tranquila con lo que hay en el Cielo.

Una de las obras espirituales en el Reino será orar por los que todavía están en la tierra. Puede que esto no nos suene muy difícil, pero pensemos en ello por un minuto.

Imagina que estás en el Cielo y alguien a quien amas mucho está aquí en la tierra viviendo en el error, yendo por el camino equivocado de la vida, lejos de Cristo. Vas a orar mucho por los que estén en esa situación, y esa será tu labor: tratar de que tomen la dirección correcta. Estoy segura de que Dios nos dará permiso para guiar el camino de aquellos a quienes amamos cuando estemos en el Cielo. Estoy convencida de que muchas veces hemos sido salvados por amigos y familiares que han fallecido antes que nosotros. Allí estaremos luchando contra los enemigos de Dios, no con las destructoras armas de la guerra, sino con las armas de la bondad, la compasión y el amor.

Cuando las personas que amamos mueren, puede resultarnos difícil pensar que todavía nos conocen, nos comprenden y se preocupan por nosotros. Pero sí lo hacen, de la misma manera como nosotros reconoceremos, entenderemos y nos preocuparemos por nuestros seres queridos en la tierra después de nuestra muerte. ¡Si se preocuparon por nosotros en este imperfecto estado terrenal, lo harán todo el tiempo en un estado perfecto! Ellas ahora tienen aún más fuerza para inspirarnos.

En este mundo, encuentro mucho más fatigoso el trabajo espiritual que el trabajo físico. Cuando terminamos el trabajo físico, pues se acabó. En cambio, el trabajo espiritual nunca se termina. El trabajo más difícil que hago es intentar que otras personas comprendan la profundidad de su ser y su espiritualidad, para que puedan elevarse por encima de lo mundano. En el Cielo, no habrá fatiga; podremos hacer ese trabajo continuamente sin preocupaciones ni cansancio. Nuestro trabajo en el Cielo será tremendo, porque trataremos con almas. Solo Dios sabe qué otras cosas se nos asignarán.

Mis padres se divorciaron cuando yo era una niña pequeña. Seis meses antes de morir, mi padre me dijo que estaba arrepentido de todo, pero aun así yo seguía preocupándome mucho por él. Lo primero que hice cuando supe que mi padre había fallecido fue llamar al hospital para asegurarme de que había recibido los últimos sacramentos. Cuando fue mi madre la que se estaba muriendo, ella miró hacia la puerta y vio a mi padre, el hombre con el que no había podido vivir (ni él con ella, aparentemente), el hombre al que vi muy poco en mi vida, el hombre que se fue un día y nunca regresó. Era él, quien volvía en ese momento por la novia que no pudo mantener en la tierra, la mujer que pensó que no amaba. ¡Creí que era una gracia asombrosa! Mi madre dijo: "Se veía tan guapo y tan hermoso". Me pregunto si eso fue el resultado de su labor desde el Cielo, como una especie de reparación por dejarla sola tantos años atrás. Me pregunto si fue Dios le dio el encargo de cuidarla después de la muerte, ya que la descuidó en vida.

A veces nos sentimos muy solos cuando un ser querido fallece. Sin embargo, ellos están trabajando por nosotros, no con las manos y los pies, como los recordamos, pero están trabajando. Están tratando de guiarnos, consolarnos, darnos esperanza, hacernos comprender de alguna manera que hay algo más grande por delante. Estoy segura de que, si pudieran llorar, lo harían cada vez que nos ven ir tras las cosas equivocadas.

No importa lo que tengamos o no tengamos aquí en la tierra. El trabajo de la vida diaria es un trabajo importante, pero no es el trabajo más importante al que estamos llamados. Nuestro mayor trabajo en la tierra es cooperar con la voluntad de Dios en el momento presente, para que el Espíritu del Señor nos transforme a su imagen. Si fallamos en eso, no importa cuánto trabajemos en nuestras carreras u otras cosas, ¡lo hemos perdido todo!

Todo pasará excepto el trabajo espiritual más importante; ese trabajo se prolongará en el Reino. No nos sentaremos allí indiferentes a nuestros seres queridos o a la humanidad. Si los ángeles se regocijan por aquel único pecador, es porque deben conocerlo: deben saber lo que ha hecho y deben haber estado orando él para regocijarse. Si eso es cierto para los ángeles, ¿no será más cierto para los seres humanos que alcanzaron la gloria, y que conocieron a tanta gente mientras vivían en la tierra?

Lo sabemos, la vida en la tierra es cansancio. A veces sentimos que ni siquiera tenemos ganas de continuar. Pero decimos eso solo porque estamos cansados de lo que estamos haciendo. Nunca nos cansaríamos de algo que nos hiciera felices. Cuando dudamos de que nuestros seres queridos nos ayudan desde el Cielo, estamos juzgando la gloria del Reino usando como medida un cuerpo que se debilita después de años de fatiga en la tierra. No olvidemos que vamos a decirle adiós a este cuerpo. No comparemos lo físico y lo espiritual.

Mucha gente tiene miedo de ir al Cielo porque se avergüenzan de sus acciones y temen que todos los que están allá arriba se enteren de las malas decisiones que tomaron. No podemos pensar de esa manera. Cada vez que vamos a la confesión, el Señor perdona y olvida. Todo el mundo tiene algo que esconder. ¿Crees que el Cielo es un lugar donde Dios tiene en exhibición todo lo que quisieras ocultar? Ese no es el Dios que conocemos y amamos. "Así fueren vuestros pecados como la grana, cual la nieve blanquearán" (Isaías 1, 18).

Es muy importante entender que todo lo que hacemos, incluso los pecados que cometemos, será aprovechado por Dios para nuestro bien. Tú y yo fuimos creados por Dios y hemos sido puestos en un "campo de pruebas" -eso es lo que es la vida, un gran campo de pruebas- para prepararnos para tener un lugar en el Reino. Por eso fuimos creados: para cooperar con Dios.

Es muy importante que llegues a su Reino. Si te alejas de Dios en el momento de la muerte y tienes la terrible desgracia de perder tu alma, tu lugar en el Reino nunca será ocupado por nadie más, por toda la eternidad. No es como en una gran fiesta en la que, si falta una persona, otra ocupa su lugar. Tu lugar en el Reino estará vacío para siempre a menos que lo ocupes tú mismo.

Prepararnos para ocupar nuestro lugar en el Reino es el trabajo más grande y difícil del mundo. Luego seguiremos con la obra más gloriosa de todas: alabaremos a Dios, disfrutaremos de la belleza de su Reino, oraremos por aquellos que todavía no están en él, amaremos a los que amamos en la tierra, los conduciremos al Reino, intercederemos por ellos -todo en un lugar de perfecta alegría y felicidad- con un poder que nunca tuvimos en la tierra. Este es nuestro trabajo en el Cielo, la tarea más grandiosa de todas.

Capítulo 4

∞

Amigos y familiares en el Cielo

∞

En el Cielo mantendremos una amistad ideal con todos. Por eso Jesús nos dio el gran mandamiento de amarnos los unos a los otros como Él nos ama, porque así es como vamos a amar en el Cielo. Es por eso que nos pide que perdonemos a nuestros enemigos, porque existe la posibilidad de que vayamos a vivir con ese enemigo en amor y amistad para siempre. Entonces tenemos que empezar a forjar esa amistad aquí.

Hemos hablado de esto antes, pero vale la pena repetirlo: tu cielo, tu purgatorio y tu infierno comienzan aquí. Cada aspecto de estos estados del ser comienza aquí en la tierra: en este momento preciso estamos experimentando el Cielo, el infierno o el purgatorio. Mucho de esto tiene que ver con nuestras relaciones con otras personas.

Pensemos en lo que significa la amistad. La mayoría de la gente tiene un mejor amigo; o, si se tiene suerte, más de un amigo –alguien en quien confiar y que nos acepta como somos, con nuestros defectos, faltas e imperfecciones-. Este es el tipo de amigo que nos quiere sin duda; es decir, que quiere lo mejor para nosotros, quiere nuestra santificación y salvación, y que nos ayuda en el camino. Los auténticos amigos aman a Dios coincidentemente. Ahora, imagina la mejor versión de ese tipo de amistad sin tener que aguantar todas las imperfecciones y todos los malentendidos de nuestro mundo caído, y podrás imaginar cómo serán todos ellos en el Cielo.

¿Qué pasa con nuestros enemigos -esas personas por las que creemos tener todas las razones para odiar y no perdonar-? Si seguimos el mandato del Señor y perdonamos a un enemigo, y esa persona toma las decisiones correctas y llega al Cielo, esa misma persona te agradecerá por toda la eternidad tu misericordia y compasión; porque con ellas lo ayudaste a llegar allí. La cuestión es que, si nos negamos a perdonar a alguien que creemos que es una mala persona, es posible que al final descubramos que dicha persona llegó al Cielo y nosotros no. El pobre hombre puede haberse arrepentido, sin siquiera saber que te lastimó tanto, pero debido a su contrición, ¡pasará la eternidad cantando alabanzas a Dios, mientras tú pasas la eternidad lejos de Él! Es por eso que Nuestro Señor insiste en que perdonemos y dejemos que Él se encargue del resto. Debemos amar como Él ama y perdonar como Él perdona. Cuando odiamos y nos negamos a perdonar, ya estamos viviendo una especie de Infierno.

En el Cielo, nuestra amistad no estará determinada por nuestra condición social. Puede que afirmemos que nuestras amistades aquí no están relacionadas con el estatus social, pero seamos honestos. Todos, en algún momento, formamos relaciones para escalar de posición social. Nos gusta que nos vean con gente rica, famosa y poderosa, aunque solo sea dentro de nuestros pequeños círculos. Recuerdo cuando estaba en la escuela secundaria, donde pasé momentos difíciles. Solía envidiar a todos esos chicos de la Sociedad de Honor. Recuerdo haber tratado de hacerme amiga de la chica que era presidenta de la Sociedad de Honor de la secundaria. Ella me miró con desdén y dijo: "¿Quién eres?" Yo respondí: "Nadie".

Todos hacemos alguna de esas cosas locas en nuestras vidas: corremos tras aquellos que son más inteligentes que nosotros o que tienen más educación, o estatus social. Perdemos mucho tiempo tratando de entrar en los círculos "correctos". Esto significa que al menos algunas de nuestras amistades son un poco falsas y algunas son muy egoístas. En el Cielo, todas esas complicaciones desaparecerán. No todos tendremos el mismo grado de gloria en el Cielo, pero todos seremos igualmente felices los unos con los otros, y con Dios.

¿Qué es el Cielo?

Nuestra amistad en el Cielo será sincera y segura. Nos veremos los unos a los otros en Dios, y a Dios en cada uno. Eso no lo hacemos hoy. Cuando miramos a un vecino o compañero de trabajo, solo vemos como un barniz, una apariencia. Vemos todas sus imperfecciones y sus pequeñas rabietas, toda su impaciencia y todas sus susceptibilidades; y eso nos deja exhaustos. Nunca vamos un poquito más profundo en el interior de nadie. Puede que amemos -o no- lo que creemos que está ahí, pero no sabemos qué hay realmente por dentro.

Hace muchos siglos, murió un hermano religioso que tenía una gran reputación de santidad. El mismo día murió una prostituta. La arrojaron en una tumba y se olvidaron de ella; mientras que, en medio de mucha adulación y alabanza, enterraron al hermano. Esa noche, el abad tuvo una visión. El hermano estaba en el Purgatorio e iba a estar allí durante mucho tiempo, purificándose de sus muchos pecados. La prostituta, por otra parte, fue directamente al Cielo. Ella se había arrepentido auténticamente de la vida que había llevado; no por miedo al castigo, sino solo porque había ofendido mucho a Dios. Había realizado un acto perfecto de amor por Él. La santidad del hermano era superficial; hizo muchas cosas pero solo para ser visto por los hombres. Por eso Nuestro Señor nos dice que no juzguemos.

En el Cielo, cada talento y cada virtud que poseemos serán vistos y disfrutados sin celos. De hecho, seremos capaces de decir, por cómo nos vemos y cómo vestimos, en qué virtudes sobresalimos, porque todo en relación a nuestra apariencia tendrá sentido. Lo más maravilloso será que, al mirar a nuestro alrededor, veremos personas por las que nos hemos preguntado y preocupado, y veremos cómo Dios sacó siempre un bien de toda circunstancia. En este momento, solo vemos la superficie y nos enojamos con nuestros amigos, nuestra familia, con nosotros mismos y con Dios.

En la Transfiguración, los vestidos de Jesús "se volvieron resplandecientes, muy blancos, tanto que ningún batanero en la tierra sería capaz de blanquearlos de ese modo" (Marcos 9, 3). Más adelante en el Evangelio de Marcos, cuando la gente desafía la enseñanza de Jesús sobre la resurrección, Él responde: "¿No estáis en un error precisamente por esto, por no entender las Escrituras ni el poder de Dios" (Marcos 12, 24)? Hoy me pregunto si realmente entendemos las Escrituras o el poder de Dios. Limitamos a Dios. Tenemos pequeños, diminutos dioses hechos a nuestra imagen. Por el contrario, somos nosotros quienes hemos sido hechos a Su imagen. Él es el Señor; Él es el soberano. Debemos escuchar y obedecer al Señor soberano.

Jesús le dijo a la gente: "Pues cuando resuciten de entre los muertos, ni ellos tomarán mujer ni ellas marido, sino que serán como ángeles en los cielos" (Marcos 12, 25). Este es un tipo de vida completamente nuevo. Podemos ver, más adelante, en el libro del Apocalipsis: "El vencedor será así revestido de blancas vestiduras y no borraré su nombre del libro de la vida, sino que me declararé por él delante de mi Padre y de sus Ángeles" (Apocalipsis 3, 5). Imagínate con esta fantástica prenda, acercándote al trono de Dios con Jesús al lado. Y Él dice tu nombre, y este resuena en el Cielo con fuerza, y los ángeles se regocijan. Es como una gran celebración después de que un general regresa a casa con la victoria, solo que la tuya era la guerra contra el mal. ¡Alcanzaste la meta!

Poco después, en el mismo libro de Apocalipsis, leemos nuevamente acerca de personas vestidas con túnicas blancas; esta vez se especifica que se trata de personas que sufrieron gran persecución en la tierra (Apocalipsis 7, 9.14). El capítulo 14 señala que las personas vestidas de blanco están frente al trono: "Cantan un cántico nuevo... y nadie podía aprender el cántico, fuera de los ciento cuarenta y cuatro mil rescatados de la tierra" (Apocalipsis 14, 3). Ese número es una expresión, un símbolo de potencialmente millones y millones de personas. "Estos son los que no se mancharon con mujeres, pues son vírgenes" (Apocalipsis 14, 4). Finalmente, en el capítulo diecinueve: "Alegrémonos y regocijémonos y démosle gloria, porque han llegado las bodas del Cordero, y su Esposa se ha engalanado y se le ha concedido vestirse de lino deslumbrante de blancura - el lino son las buenas acciones de los santos" (Apocalipsis 19, 7-9).

Ahora bien, ¿qué sucede en el Cielo si alguien a quien amamos en la tierra no está allí? Probablemente pensaríamos que no vamos a poder ser felices. Pero no, no hay nada en el Cielo que pueda estropear nuestra felicidad. En el Cielo, veremos la realidad completa de las personas que amamos en la tierra, y también de las que no amamos. Veremos que, en el fondo de los corazones de algunas personas que pensamos eran maravillosas, puede haber habido una terrible maldad y un rechazo de Dios. Aunque es difícil pensar en esto ahora, no seremos menos felices en el Cielo si alguien a quien conocimos y amamos no está allí. Esto se debe a que amaremos como Dios ama, y sabremos que esa persona, por su cuenta, con su propia voluntad, se apartó y dijo: "No quiero estar contigo. No quiero estar en tu Reino".

Esto puede ser difícil de aceptar para nosotros, especialmente cuando pensamos en las personas que amamos profundamente. Sin embargo, estas son preguntas que debemos enfrentar aquí: la cuestión de si estamos viendo a la persona en su totalidad, y la cuestión de si estamos separando nuestras vidas para Dios. En el Cielo, nuestro amor por los demás, estén con nosotros o no, no desaparecerá; será purificado. Nuestro amor será puro en el Cielo, porque amaremos con el mismo amor puro con el que ama Dios.

Nunca sufriremos una traición en el Cielo. Es el peor dolor del mundo amar a alguien durante mucho tiempo y luego, de repente, descubrir que esa persona no nos ama en absoluto. En el Cielo, el amor de todos se basa en Dios, que no cambia. Esa es la razón por la que el nuevo mandamiento de amarnos los unos a los otros es tan importante en la tierra, porque tenemos que comenzar nuestro Cielo aquí. Debemos ser imagen de ese Jesús que nunca cambia, frente a todos.

Mucha gente se pregunta si reconoceremos a los miembros de nuestra familia en el Cielo. ¡Por supuesto que sí! La memoria es parte del alma. Nuestros cerebros mueren, pero nuestras almas siguen viviendo. De hecho, nuestra memoria se perfeccionará en el Cielo. No recordaremos nuestros pecados y debilidades, pero recordaremos a las personas.

Es posible que la gente que veremos en el Cielo se vea diferente a como las vemos ahora. Mi opinión, que no tiene nada que ver con la teología o la revelación ni nada, es que todos en el Cielo se verán como el Señor a la edad de treinta y tres años (la edad en la que murió), es decir, como un adulto joven. Si un bebé muere, no creo que sea un bebé en el Cielo. Piensa en todas las mujeres que han tenido abortos espontáneos, o que han tenido abortos y están arrepentidas. Puede que vean a sus bebés en el Cielo como habrían sido de adultos en la tierra, grandes y fuertes. Los padres y abuelos que perdimos a una edad avanzada, todos arrugados y encorvados, los reconoceremos de inmediato en el Cielo, pero es posible que no se vean tal como hoy los recordamos.

Todas las relaciones que se rompieron en la tierra, como las que existen entre los padres y sus hijos alejados, serán sanadas en el Cielo, siempre que todos hayan respondido a la gracia de arrepentirse, disculparse y dejarse purificar. Se volverán a ver y toda la frialdad y la soledad se habrán ido. Por eso necesitamos tener esperanza. Cuando los padres ven a sus hijos hundirse cada vez más en el pecado y la desesperación, no deben perder nunca la confianza en Dios. Nunca dejes de orar: una oración puede hacer cosas maravillosas. En el Cielo, sabremos por qué Dios permitió todas esas cosas que nos preocuparon, y conoceremos los frutos de nuestras oraciones.

Ciertamente, nunca podremos realmente imaginar el Cielo. Podemos hablar de ello, como lo hemos hecho aquí, basándonos en las palabras de la Escritura y en los dichos de los santos; aun así, nuestra mente no puede comprender la plenitud de esto. Eso no significa que debamos dejar de pensar en ello, ¡claro que no! ¿Cómo podríamos leer la Biblia y pensar que debemos ignorar el Cielo? Piensa en lo que le pasó a Jesús. Fue azotado y coronado de espinas. ¡Cómo debe haber corrido la sangre por sus mejillas! Cargó su Cruz, cayéndose varias veces. Miró a su madre estando en ese lamentable estado. Fue clavado al madero. Dicen los cirujanos que cuando el condenado es colgado de los brazos, se golpea un nervio tan sensible que el dolor podría hacer perder la cordura a cualquiera. ¿Por qué el Hijo de Dios, el Verbo Eterno, la Imagen del Padre, pasaría por todo eso? ¿Para qué? Pues, ¡por el Cielo! ¡Así de increíble es el Cielo!

¡Cómo no vamos a desear el Cielo! En parte, si no lo hacemos, es porque nunca pensamos en él. Pasamos por alto aquel magnífico versículo de San Pablo acerca de esa incapacidad para escuchar, ver o conocer la gloria del Cielo (1 Corintios 2, 9), por la que simplemente lo borramos de nuestra mente. Como resultado, tenemos miedo de morir, no tenemos idea de por qué sufrimos en la tierra, y no tenemos idea de lo que vendrá. Vivimos en la oscuridad. Aunque Dios haya dado suficiente información para desear estar allí con Él.

Tenemos que pensar en el Cielo. ¿Por qué los primeros cristianos cantaban canciones aun cuando veían esos enormes leones venir tras ellos? No todos se salvaron de las bestias, a ellos se los comieron frente a miles de personas que lo celebraban. ¿Cómo pudo San Esteban mirar serenamente hacia lo alto y decir que estaba viendo al Hijo de Dios a la diestra del Padre, mientras era apedreado hasta morir (Hechos 7, 55–56)? ¡Porque todos esperaban el Cielo!

¿Cómo podemos cargar nuestras cruces? ¿Cómo podemos soportar la soledad de una casa vacía, si no sabemos que hay un Cielo maravilloso esperándonos? ¿Cómo podemos soportar cada día el miedo y el peligro? ¿Cómo podemos ver las noticias y no tener la esperanza de algo mejor por venir? ¿Cómo podemos soportar esa carga de dolor constante, sin esperanza en el Cielo? Debemos tener esa esperanza y fe, tal como la tuvieron Jesús y los primeros cristianos. Creo firmemente que algunos de nosotros no iremos al Cielo no tanto porque no pudimos apreciar lo que Él hizo por nosotros como por nuestra falta de deseo del Cielo. Estar en ese lugar donde ya no es posible ofender más a Dios; estar en ese lugar donde no tendremos que preocuparnos más por si lograremos algo o no; estar en el lugar donde podremos ver a los que amamos y a los que no con el mismo amor; donde veremos las maravillas del Reino. Sería un error no querer eso más que nada.

¿Acaso tenemos la impresión de que este pequeño punto en medio del universo –el aquí- es lo único bello que Dios ha creado? ¡Eso no puede ser! ¡No tiene sentido! Todo pasa: las cascadas y las montañas, la sonrisa de un niño, la belleza y la sabiduría de la edad, la gloria de un amanecer, la tranquilidad de una puesta de sol, la euforia de un arco iris después de una buena y fuerte lluvia, la belleza de los relámpagos y la suavidad de la nieve, el poder del viento y la suavidad de una brisa. ¿Acaso pensamos que eso es todo lo que hay? Es como si el Señor pasara y el borde de su manto tocase la tierra, y de repente aparecen árboles, frutas, personas, montañas y colinas; y, lo más importante, el amor. Sin embargo, nada de eso puede compararse a lo que está por venir.

Capítulo 5

La música y la belleza del Cielo

∞

Ahora vamos a hablar de la música y la belleza en el Cielo.

Cuando hablamos del Cielo, hay una tendencia a descartar toda especulación como si estuviéramos "simplemente imaginando". Nuestro Querido Señor, sabiendo que necesitamos ejemplos que sean un poco más concretos, nos da pequeños indicios del Cielo, luces, ideas y experiencias que serán muy similares, solo que mejoradas en gran medida en el Cielo.

Tomemos la música. Hay todo tipo de música, y cada uno de nuestros corazones se regocija con algún tipo de música. A algunos les gusta la música clásica, a algunos les gusta el rock, a algunos les gusta la música jazz; y así. Sin embargo, no "escuchamos" lo mismo, incluso cuando nos gusta el mismo tipo de música. Entonces, consideremos algunos de los tipos de música que experimentamos en la vida: algunos que escuchamos con nuestros oídos y otros que agitan nuestras almas, incluso si no estamos escuchando. Todos esos tipos de música estarán presentes, pero perfeccionados, en el Cielo.

Cuando reflexionamos sobre música, tendemos a pensar principalmente en aquella que es tocada con instrumentos. Hay mucho más que eso. Por ejemplo, ¿te has dado cuenta alguna vez de que hay una música de la naturaleza que hace resonar los poderes creativos de Dios? ¿Has ido al bosque últimamente? Si dices que estás demasiado ocupado, te estás perdiendo la mitad de la vida. Hay que salir en busca de la naturaleza, y escuchar la brisa y la música. ¡La naturaleza tiene una melodía! Escucha la música de las ramas mientras susurran con el viento. Escucha el crujir de las hojas bajo tus pies. Escucha el agua caer por una ladera. Podríamos decir que es solo ruido, pero no: es solo un tipo diferente de música. Me encanta ir a la playa y quedarme allí, y sentir y escuchar las olas mientras hacen zumbidos. Suenan con suavidad y a la vez con tanta fuerza. Eso es música. No la escuchamos porque estamos muy ocupados en nuestras cabezas.

Luego, por supuesto, está la música de los instrumentos. Cuando nuestras hermanas aquí en el monasterio están practicando para la Misa, a veces prefiero no unirme a ellas: solo me gusta sentarme allí y escuchar. Es una especie de recreación para mí. Tocan con amor y hasta sus errores me parecen hermosos. La música de los instrumentos aviva las emociones. A veces, cuando están tocando algo muy hermoso, miro al Santísimo Sacramento y todo lo que puedo hacer, es decir: "Jesús, eres tan maravilloso. Te amo". Los instrumentos musicales pueden tomar nuestras emociones y elevarlas hacia Dios.

También existe la música del silencio. El silencio es más que la ausencia de ruido: puedes experimentar la ausencia de ruido y no poder escuchar la música del silencio. Me refiero a la música del silencio que es tranquila, pero llena de la presencia deslumbrante de Dios. Todos podemos tomarnos un segundo para escuchar el silencio en nuestra habitación y ver si no hay una especie de presencia imponente y deslumbrante. Eso no es realmente la ausencia de ruido: es Dios omnipresente; y es una pequeña pista de lo que vamos a sentir y comprender en el Reino.

Ahora, aquí en la tierra, también existe lo que me gusta llamar la música del dolor. Esta música del dolor está un poco fuera de las convenciones. Una vez, cuando era una joven novicia, estábamos practicando una canción que pensé que podría haber sido la peor canción que alguien haya escrito. Parecía totalmente fuera de tono, como si nadie cantara en armonía con nadie más. Después de muchos días de práctica, de repente se volvió absolutamente hermosa. Le pregunté a la directora musical qué tipo de música era y me dijo que era polifonía. Todavía sonaba poco convencional, pero reconocí su belleza. Eso, para mí, es la hermosa música del dolor. Creo que, a los ojos de Dios, del Reino, y de los que amas y extrañas, ese tipo de música poco convencional es tu dolor que asciende a Dios; es un himno de resignación a la voluntad de Dios. Creo que es quizás el tipo de música hermosa que cantó Jesús en la Cruz.

Luego, está la música que proviene de la soledad. ¿Alguna vez has vaciado un vaso y luego le pegas con un tenedor o un cuchillo, y el tono que produce es hermoso? Creo que la música que le cantas a Dios al vaciar tu vaso, por el cumplimiento de su voluntad en tu vida, penetra los Cielos.

También está la música del corazón, una música que no se puede expresar con palabras o incluso con tonos. Imagina a dos personas que se aman sentadas juntas y tomadas de la mano en silencio: aunque no digan nada, sus corazones cantan. Puedes verlo en sus caras, porque el amor es una melodía que alegra el corazón. Podemos imaginar un momento en el que estuviéramos maravillosamente contentos durante unas horas o unos días, tal vez en un viaje o mientras visitábamos a nuestros seres queridos, o mientras estábamos de paseo por el bosque, y hay una sensación de alegría que es una canción real: distinta a lo que podemos verbalizar, diferente de las notas de la escala pero, no obstante, una especie de música.

Luego está lo que llamo la música de la luz, que brilla en el alma que está tratando de encontrar y comprender a su Creador. Es la luz en el rostro de un niño que no está manchado por el mundo, que inocentemente mira hacia arriba con asombro. Eso ciertamente le lleva la música al corazón.

También podemos pensar en la música de la realización, de un trabajo bien hecho, de tener la gracia de Dios para superar una terrible debilidad. Recuerda lo que dijo el Señor: "Habrá más alegría en el cielo por un solo pecador que se convierta que por noventa y nueve justos que no tengan necesidad de conversión" (Lucas 15, 7). No podemos regocijarnos sin cantar. Y, por último, está la música de la amistad, que aligera nuestras cargas y hace que nuestros corazones estallen con la alegría del amor. Este es otro tipo de música: la que escuchamos con el corazón.

Entonces, la mayoría de la música que es un anticipo del Cielo no está hecha por instrumentos, pero no obstante es música. Todos estos tipos de música hacen de nuestras vidas una sinfonía. Una sinfonía se compone de movimientos: algunos de esos movimientos —que componen nuestras vidas- son pesados, oscuros y estruendosos, mientras otros son ligeros y alegres. El último movimiento de nuestras vidas, sin embargo, es el mejor. A lo largo de nuestras existencias, hay muchas notas amargas y desagradables armonías. Pero ese último movimiento, que se da en el Cielo, es perfecto.

Y una de las cosas hermosas será que todo el Cielo te escuchará mientras tocas tu propio himno de alabanza. Todos los ángeles se detendrán, todos los santos se quedarán quietos cuando entres al Reino por primera vez. El Salmo 8 dice: "Sobre los Cielos, tu majestad cantada por boca de niños, de niños en brazos" (Salmos 8, 1–2). Y para todos los que hemos perdido seres queridos, conviene revisar el Salmo 30: "Has trocado mi lamento en una danza, me has quitado el sayal y me has ceñido de alegría" (Salmos 30, 11). Hoy todos llevamos encima algún tipo de "sayal": nuestros errores, nuestros pecados, imperfecciones y debilidades. "Has trocado mi lamento en una danza, me has quitado el sayal y me has ceñido de alegría, mi corazón por eso te salmodiará sin tregua; Yahveh, Dios mío, te alabaré por siempre" (Salmos 30, 11-12).

Veamos nuevamente el libro de Apocalipsis, donde hay imágenes asombrosas sobre la música -y el silencio- en el Reino. En el libro del Apocalipsis, capítulo 15, leemos acerca de la hermosa melodía de los ángeles y los santos: "Todos tenían arpas de parte de Dios, y cantaban el himno de Moisés, siervo de Dios y del Cordero" (Apocalipsis 15, 2- 3). En el capítulo octavo leemos: "Cuando el Cordero abrió el séptimo sello, se hizo silencio en el cielo, como una media hora" (Apocalipsis 8, 1). La majestad de Dios se había vuelto tan gloriosa en todo el Reino que no había nada más que un silencioso asombro. Entonces, de repente, todo el Reino comenzó a cantar: "¡Aleluya! La salvación y la gloria y el poder son de nuestro Dios" (Apocalipsis 19, 1).

Incluso aquellos entre nosotros a los que no nos importa mucho la música exultaremos de gozo. Y es que cada pequeña imperfección desaparecerá. Eso me hace pensar en los ángeles que se aparecieron a los pastores en el nacimiento de Jesús y anunciaron la buena noticia con un canto: "Gloria a Dios. El Mesías ha llegado". Los primeros cristianos cantaban todo el tiempo, a veces incluso mientras estaban en la arena esperando ser devorados por los leones. ¿Te imaginas qué hermosa canción debe haber sido esa para Dios? ¿Puedes imaginar el efecto que debe haber tenido ese canto entre quienes clamaban por su sangre en el coliseo? Ese fue un canto de abandono a la voluntad de Dios, el canto de la libertad total, sin miedo a nada ni a nadie. Cuando pensamos en ese tipo de canción, ¿no nos gustaría poder cantarla ahora mismo?

Después de todo, en el capítulo quinto de Efesios, San Pablo dice: "Recitad entre vosotros salmos, himnos y cánticos inspirados; cantad y salmodiad en vuestro corazón al Señor" (Efesios 5, 19). Así es como rezaremos en el Reino, con una canción que brota de nuestro corazón. En el Cielo cantaremos melodías en nuestros corazones y mentes porque veremos la belleza eterna cara a cara. No habrá nada más de qué discurrir. No habrá más concepto de la belleza de Dios que el que posee un niño por nacer sobre la belleza del rostro de su madre, o sobre el amanecer o la puesta del sol. Cuando comencemos a cantar en el Reino, cantaremos sobre su misericordia con nosotros. Entenderemos cuántas veces nos protegió, cuidó y guio; y cuántas veces nos libró de pecados aún mayores que los que cometimos, o de errores más graves que aquellos en los que incurrimos.

Aquí en la tierra, los padres pueden escuchar las voces de sus hijos y comprenderlos incluso cuando nadie más puede hacerlo. En el Reino, Dios nos escuchará y entenderá como si nadie más existiera.

Quiero hablar ahora sobre aquellos que han sufrido o luchado especialmente aquí en la tierra. ¿Te imaginas, por ejemplo, las canciones que escucharán y cantarán los sordos? Esas canciones serán aún más hermosas que las que la mayoría de nosotros escuchamos y cantamos. Eso es porque Dios es justo; en consecuencia, aquellos que han sido privados aquí, ya sea por pobreza, accidente, herencia, errores o pecado, si se han arrepentido, serán bendecidos en abundancia en el Cielo. Si alguien ha nacido ciego, verá cosas que la mayoría de nosotros no podremos ver. Aquellos que tienen discapacidades intelectuales comprenderán los misterios de Dios que la mayoría de nosotros nunca comprenderá. San Pablo dice: "Estimo que los sufrimientos del tiempo presente no son comparables con la gloria que se ha de manifestar en nosotros" (Romanos 8, 18).

Algunos de nosotros podríamos preocuparnos por lo que nos perderemos en el Cielo porque hemos sido bendecidos con buena salud y fortuna aquí en la tierra. No tenemos que preocuparnos, porque también tendremos cosas que otros no tendrán. Nuestra felicidad en el Reino será desbordante porque cada uno de nosotros tendrá experiencias que nadie más tendrá, porque nuestros sufrimientos fueron diferentes, nuestras ansiedades fueron diferentes, nuestras personalidades y temperamentos fueron diferentes. Este no es un tipo de castigo. No hay castigo en el Reino. Es simplemente una cuestión de justicia.

Entonces, aquellos de nosotros que hemos visto, oído, hablado, olido y saboreado toda nuestra vida, tendremos diferentes glorias y diferentes alegrías en el Cielo. Al mismo tiempo, compartiremos el mayor gozo de todos, regocijándonos de haber sido llamados por Dios a través de la Preciosa Sangre de Jesús, su Hijo, para ser glorificados en su Reino.

Concluyamos observando la descripción del Cielo en Apocalipsis capítulo 21: "El que hablaba conmigo tenía una caña de medir, de oro, para medir la ciudad, sus puertas y su muralla. La ciudad es un cuadrado: su largura es igual a su anchura. Midió la ciudad con la caña, y tenía 12.000 estadios. Su largura, anchura y altura son iguales" (Apocalipsis 21, 15-16). Podríamos pensar que tenemos algunos diamantes muy bonitos en nuestros anillos, pero los diamantes más grandes de la tierra son piedritas en comparación con las del Cielo. "El material de esta muralla es jaspe y la ciudad es de oro puro semejante al vidrio puro" (Apocalipsis 21, 18-19). Estamos hablando de grandes trozos de piedras preciosas, no de estas pequeñas cosas que se ven en los estuches de los joyeros. "Las doce puertas eran doce perlas" (Apocalipsis 21, 21). ¡Una perla por puerta! Parece que estuviésemos jugando con baratijas en este mundo. ¿No es una pena que nos aferremos tanto a ellas?

La descripción continúa: pisos de cristal dorado y sin lugar para la oscuridad, ya que la luz de Dios nunca se apaga (Apocalipsis 21, 21-23). Puedes pensar que todo esto es algo simbólico, pero, ¿cómo puedes estar seguro de que es así? Sé que hay muchas formas de leer las Escrituras, y se puede leer el mismo pasaje de tres maneras diferentes -mística, literal, simbólica-, no importa cuánto se analice, nunca serás capaz de desentrañar su sentido último. Eso será posible y, con toda certeza, será algo absolutamente sorprendente.

¿Por qué tenemos miedo de transformarnos en esta vida, de aceptar la cruz tal como viene día tras día, hora tras hora, minuto tras minuto, si podemos esperar lo que está por venir? Creo que el momento más glorioso del Reino será cuando Dios nos mire y nosotros lo miremos cara a cara por primera vez. Nos mirará con tanto amor que, si no fuera por una gracia especial, nos desvaneceríamos en la nada. Porque la mirada de Dios es tan poderosa, tan hermosa y amorosa que hace que toda nuestra vida en el mundo parezca nada.

Capítulo 6

El conocimiento en el Cielo

⚭

Me siento emocionada cada vez que el Señor me concede algún alcance sobre un concepto nuevo en torno al Reino. Si leemos la primera carta de San Pablo a los Corintios, encontraremos algo interesante: "Cuando era niño, hablaba como niño, pensaba como niño y discutía como niño" (1 Corintios 13, 11). El temperamento de San Pablo aparece de vez en cuando en sus cartas. Todo el que tenga un temperamento difícil debería tener a San Pablo como su santo favorito. Por eso, es mi santo favorito: me gustan las personas que tienen temperamento, que tuvieron dificultades para superarse a sí mismas.

Luego, San Pablo escribe: "Ahora vemos en un espejo, en enigma" (1 Corintios 13, 12). Todo lo que vemos de Dios hoy, en la naturaleza, en nuestros semejantes, en nuestro intelecto, es como una imagen en un espejo opaco. Todos hemos visto o podemos imaginar un viejo espejo polvoriento, tal vez como uno de esos que encontramos en un ático. El reflejo está ahí, ¡pero casi no se ve! Toda la creación, toda su belleza, es como un espejo opaco. San Pablo continúa, ahora hablando del Cielo: "Entonces veremos cara a cara" (1 Corintios 13, 12). No puedo imaginar el momento, ese maravilloso momento que llamamos muerte, en el que veremos a Dios cara a cara. "Ahora conozco de un modo parcial, pero entonces conoceré como soy conocido" (1 Corintios 13, 12). Ese conocimiento es el tema de esta sección.

Una de las experiencias más gozosas en el Cielo será la adquisición de conocimiento. En la escuela, yo trabajaba muy duro para mejorar mis malas calificaciones. ¡Es verdad! Tenía muchos problemas en casa y andaba con hambre la mayor parte del tiempo, así que no podía estudiar. ¡No estaba interesada en la capital de Iowa! ¡Pero en el Cielo será muy diferente! No nos veremos obstaculizados por laboriosos métodos de aprendizaje. No necesitaremos libros, instructores ni conferencias. En el Cielo, nuestra inteligencia se conectará directamente con Dios. Nuestros recuerdos ya no lucharán por ceñirse a la verdad. Una de las cosas más maravillosas del Reino será que conoceremos la verdad con claridad. Todo quedará claro y definido como el sonido de una campana. Cualquier verdad que Dios desee que sepamos, la sabremos de inmediato.

Vamos a conocer a Dios, por supuesto, pero también vamos a conocernos a nosotros mismos de manera perfecta. El Papa Juan XXIII tenía un cartel en su escritorio que decía: "Conócete a ti mismo". Muchos de nuestros problemas se deben al hecho de que no nos conocemos a nosotros mismos. La imagen que tengo de mí mismo no es la imagen que otros tienen de mí. Quizás alguien podría decirte: "¿Por qué eres tan impaciente?" y tú replicar de golpe: "¡No lo soy!" Claramente, ¡acabas de serlo! Esa es la razón por la que rara vez le damos crédito a una crítica sobre nosotros. Ya sea que la crítica sea constructiva o no, siempre nos sentimos pequeños e incomprendidos y, a veces, incluso contraatacamos.

Muchos de nosotros nunca alcanzamos niveles más altos de oración porque nos resistimos a la crítica que Dios nos hace en el presente. Esa es siempre una crítica constructiva. Quizás el Señor nos ponga a veces en un estado de sequedad, pero es que quiere que nos elevemos por encima de nuestro egoísmo, que siempre busca gratificaciones y consuelos. Como dice en Hebreos : "Hijo mío, no menosprecies la corrección del Señor; ni te desanimes al ser reprendido por él. Pues a quien ama el Señor, le corrige; y azota a todos los hijos que acoge." (Hebreos 12, 5-6). Nuestra pobre naturaleza humana no puede comprender por qué Dios tiene que permitir algo tan desafiante en nuestras vidas, pero la fe acepta incluso cuando no comprende. No te preocupes si tienes dudas, no te preocupes si no entiendes; eso hará que tu fe sea más pura, especialmente si estás confundido, porque aun en ese caso te puedes acercar a Dios para decirle: "¡Señor, no entiendo!" No hay nada que se haya dicho que nos obligue a entender, solo que aceptemos la voluntad de Dios en el momento presente.

Cuando no asumimos esto, pasamos toda nuestra vida luchando por parecer algo que no somos. Así nunca llegamos al autoconocimiento. Pero, así como el autoconocimiento en este mundo infunde temor en nuestro corazón, el autoconocimiento en el Reino nos dará gloria, porque lo entenderemos todo. Entenderemos que, aunque nos hayamos negado al conocimiento de nosotros mismos y hayamos pecado por eso, en el Cielo ya no tendremos nada que temer. No habrá más temor en el Cielo. Algunos de nosotros vivimos con miedo: tememos a nuestro pasado, tememos a nuestro futuro y tememos a nuestro presente. Así que, cuando alguien señala nuestras faltas, nos sentimos muy incómodos; el miedo se apodera de nuestro corazón, hasta el punto de bloquear la hermosa imagen de Dios. En el Cielo, las máscaras que hemos usado -y todos usamos algún tipo de máscara- serán desechadas. Seremos totalmente libres.

A veces me imagino cómo será ser totalmente libre, sin preocuparme por el respeto humano, sin miedo al futuro, sin preguntarme qué va a pasar mañana, sin recordar todo el tiempo el pasado. Nos frustramos tanto en esta vida: "¿Por qué me pasó esto a mí? ¡Estaba tan bien! ¡Oraba! ¡Entregaba el diezmo! ¿Por qué?" En el Cielo, lo sabremos. En el Cielo, esa duda y ese miedo se habrán ido.

Tampoco tendremos que temer más en el Cielo a nuestras malas inclinaciones, porque se habrán ido. Muchos de nosotros luchamos para eliminar alguna inclinación que regularmente nos hace caer en el pecado y, a veces, nos cansamos de luchar. Nos cansamos de intentar ser buenos, porque no importa cuánto lo intentemos, en el momento en que pensamos que la hemos conquistado, de repente, la inclinación vuelve. Tal vez, como San Pablo, luchas con tu temperamento, y al pasar las semanas, crees que lo has dominado. Entonces sucede algo: la leche se cae de la mesa o un niño anda llorando demasiado y, de repente, ahí estás gritando como un loco otra vez. Algunos de nosotros podemos tener inclinaciones aún más serias, capaces de asustarnos realmente. En el Cielo, sabremos por qué el Señor nos permitió vivir con esas luchas durante tantos años. Sabremos por qué luchamos, y entenderemos el mérito que recibimos por luchar tan duro. En el Cielo, la lucha habrá desaparecido. En el Cielo, todas esas buenas decisiones que tomaste por Dios, y no por ti y tu propio placer, obtendrán una gloria inmensa -en ese Reino que ahora no puedes comprender-.

¿Qué es el Cielo?

San Pablo nos asegura en su segunda carta a los Corintios que "no somos nosotros los que predicamos, sino Cristo Jesús" (2 Corintios 4, 5). Luego, Pablo dice: "Pues el mismo Dios que dijo: De las tinieblas brille la luz, ha hecho brillar la luz en nuestros corazones, para irradiar el conocimiento de la gloria de Dios que está en la faz de Cristo" (2 Corintios 4, 6). Así será en el Cielo. ¡Hay tanta certeza en el Reino! Hay momentos en que rezamos por algo, pero parece ir de mal en peor. Simplemente no podemos entender qué está pasando, por qué Dios parece estar ignorándonos o, peor aún, jugando con nosotros. En el Cielo no habrá más dudas. Sabremos y entenderemos por qué tomó tanto tiempo para que nuestras oraciones fueran respondidas.

Hay algo aun mejor: nunca habrá un final para las cosas nuevas que aprenderemos en el Reino. En este momento, los serafines, el coro más alto de los ángeles, están aprendiendo cosas sobre Dios que nunca habían conocido. Creo que uno de los sentimientos más estimulantes del mundo es el arribo de un nuevo conocimiento, esa luz que recibimos del Señor. A veces lo obtenemos cuando leemos las Escrituras, cuando de repente vemos algo que nunca vimos antes, ¡y era tan obvio! En el Cielo, constantemente aprenderemos cosas nuevas sobre Dios. Y nuestra falta de conocimiento no será más algo frustrante, como ocurre en la tierra. Habrá muchas personas en el Reino que serán más inteligentes que nosotros, pero no importará. Aquí tenemos envidia. Allí, la taza de todos estará llena. Nos regocijaremos en la excelencia de los demás como ellos se regocijarán en la nuestra. Cuando aprendamos algo, lo compartiremos con alguien más sin dudarlo ni sentir celos.

Santo Tomás de Aquino dijo que los diferentes coros de ángeles siempre comparten sus conocimientos entre sí. Verás, en el Cielo, que no importará que haya alguien más alto en rango o con más conocimientos, o lo que sea. ¡Ni siquiera importará si las personas que más despreciamos en la tierra estarán más alto en el Reino que nosotros! En el Cielo, Dios será tanto para nosotros que todos esos celos terrenales no tendrán importancia. Estaremos contentos de saber lo que Dios quiere que sepamos y, como siempre estaremos aprendiendo algo nuevo, no importará que otros tengan mucho más conocimiento.

Una de las cosas más hermosas del Cielo será que todos los misterios de la Escritura estarán abiertos para nosotros. Aquí, a veces leemos un comentario para tratar de entender mejor un versículo difícil, ¡pero terminamos más confundidos! En el Cielo no será así. No solo se aclararán todos los misterios de las Escrituras, sino que comprenderemos todos los sentidos de la Palabra de Dios: literales, místicos y simbólicos.

También entenderemos aquellos momentos en nuestras vidas en los que pasajes particulares u otras "intercesiones" nos transformaron. ¿Alguna vez has tenido el deseo de ser mejor, de ser santo, de ser como Jesús, pero no sabías de dónde venía? ¡En el Cielo, lo sabrás! Puede que haya sido una persona que oró por ti. Puede que sea tu madre; puede ser algún extraño en el otro lado del mundo; puede haber sido un pasaje que leíste en las Escrituras hace un año que de repente dio frutos.

En el Cielo, veremos cuánto nos ama Jesús, individualmente, como si nadie más existiera. No deberíamos perder el tiempo deseando que Dios nos ame. ¡Lo hace! Para probarlo, veremos sus llagas cuando estemos en el Reino. Algunas personas me preguntan por qué siempre llevo un crucifijo. Lo hago porque necesito que se me recuerde cuánto me ama. ¿Por qué? Porque tengo dolores, problemas y responsabilidades, y no puedo manejar eso sola -ni tú tampoco-. Entonces, tengo que dar amor por amor. Y cuando pienso que es demasiado, miro mi crucifijo y digo: "Está bien, Señor...".

Volvamos a San Pablo, específicamente a su carta a los Efesios. Él dice: "El Dios de nuestro Señor Jesucristo, el Padre de la gloria, os conceda espíritu de sabiduría y de revelación para conocerle perfectamente; iluminando los ojos de vuestro corazón para que conozcáis cuál es la esperanza a que habéis sido llamados por él; cuál la riqueza de la gloria otorgada por él en herencia a los santos, y cuál la soberana grandeza de su poder para con nosotros, los creyentes, conforme a la eficacia de su fuerza poderosa, que desplegó en Cristo, resucitándole de entre los muertos y sentándole a su diestra en los cielos, por encima de todo Principado, Potestad, Virtud, Dominación" (Efesios 1, 17-21).

¡Vamos a ver todo eso! Y en el Reino, nuestro amor mutuo será una fuente de conocimiento. Vamos a saber cómo Dios fue tan amoroso, providente y misericordioso en la vida de cada uno. Habrá virtudes y talentos en nuestro prójimo que aumentará nuestro conocimiento de Dios.

En el primer capítulo de su carta a los Filipenses, San Pablo dice: "Lo que pido en mi oración es que vuestro amor siga creciendo cada vez más en conocimiento perfecto y todo discernimiento, con que podáis aquilatar lo mejor para ser puros" (Filipenses 1, 9-10). Aquí San Pablo está hablando de llegar a ese grado de oración y santidad en esta vida. ¡Y está hablando para todos! Con demasiada frecuencia reservamos la santidad solo a personas especiales a las que llamamos santos. Si estás viviendo una buena vida cristiana, ¡entonces eres un santo! Los santos no son solo figuras antiguas con halos brillantes. Esos santos eran tan imperfectos como tú. Tenían los mismos problemas, tentaciones y debilidades que tú tienes. Puede que hayan vivido en un siglo diferente, pero cada siglo tiene sus problemas. Entonces, también podemos ser santos y, en el Cielo, aprenderemos de los que llegaron antes nuestro, como ellos también aprenderán de nosotros.

En el Cielo, entenderemos el papel que jugamos en la salvación de otros y en la historia de la salvación. Todos los que existen juegan un papel en esa historia. Nos guste o no, influimos en los demás todos los días de nuestra vida. San Francisco caminaba por los pueblos con sus toscas ropas de color marrón, se daba la vuelta y regresaba sin decir nada. Nuestro ejemplo es más elocuente que mil palabras. En el Cielo, no solo conoceremos la influencia que recibimos, sino que conoceremos a las personas a las que influenciamos, las personas que, con la gracia de Dios, dirigimos en la dirección correcta.

Muchos padres están desconsolados por sus hijos que se han enredado en drogas, sexo, malas amistades, etc. Rezan y rezan, y sienten que no van a ninguna parte. Tal vez incluso mueran y parecerá que nada ha cambiado. En el Cielo, sabremos cuán poderosas fueron nuestras oraciones, cómo Dios escuchó y escuchó cada oración. Vio y oyó, y con mucha paciencia condujo a esos seres que amamos por la dirección correcta. Y, por eso, los veremos cara a cara en el Reino, y dirán: "Gracias, mamá. Gracias, papá. Sé que los volví locos. Les agradezco que hayan orado por mí. Esas oraciones me salvaron. Obtuvieron gracia para mí. Se los agradezco". ¡Así que nunca, nunca te rindas con tus hijos! Y, ustedes, hijos: ¡Nunca abandonen a sus padres!

Otro gozo en la eternidad consiste en que cada instante será nuevo. Aquí nos aburrimos muy fácilmente. ¡Incluso podemos cansarnos de sonreír! En el Cielo, nunca más nos cansaremos de la alegría. ¡Siempre habrá algún nuevo conocimiento, alguna nueva experiencia de Dios para disfrutar!

En la tierra, podemos adquirir algo del conocimiento y la sabiduría de Dios, y podemos usarlos aquí compartiéndolos, creando cosas, mejorando la vida de los demás. El conocimiento que tenemos en el Reino será mucho más glorioso porque, mientras que aquí nuestro conocimiento solo roza la superficie en este momento, allí entraremos en la misma mente de Dios.

Capítulo 7

La muerte, el cuerpo y el alma

∽

La mayoría de nosotros tenemos un concepto equivocado de la muerte. Hablamos de la muerte como si fuera el fin de todo, porque todas las cosas materiales que tenemos en la vida desaparecerán. Puede que entendamos que la muerte es el llamado del alma para que deje el cuerpo, pero como muchos de nosotros realmente no tenemos ni idea de lo que le sucede al alma, nos enfocamos solo en lo que le sucede al cuerpo: se descompone, se torna polvo; aparecen pequeños gusanos que vienen tras él, y todas esas otras cosas horribles. Esto es aquello que hace que la muerte sea tan desagradable para nosotros.

Los primeros cristianos no pensaban de esa manera. Incluso cuando vieron a esos grandes leones venir tras ellos en la arena, estaban pensando en lo que sucedería con sus almas en el Cielo, no con sus cuerpos; de lo contrario, nunca habrían tenido el valor de enfrentarse a esos leones.

¿Qué es el Cielo?

Estoy convencida de que nos aferramos a la miseria de este mundo porque no hablamos lo suficiente del Cielo, porque no lo deseamos realmente y porque no tenemos idea de lo que sucede en él. En realidad, la muerte es pasar de una vida a otra. Entonces, en verdad, no hay muerte. La muerte absoluta es la que ocurre a animales y plantas-hasta las montañas se derrumban-. Esa es la muerte; no hay regreso.

Ahora bien, los animales tienen alma, pero el alma de un animal necesita el cuerpo para seguir existiendo. Cuando el cuerpo muere, el alma muere. En realidad, el alma desaparece. Los humanos somos todo lo contrario. Solo estamos completos si tenemos alma y cuerpo, pero así como el alma opera sobre el cuerpo, no necesita del cuerpo para subsistir. Como tal, existe sin el cuerpo o con el cuerpo. El alma no necesita nada más que a Dios para seguir existiendo, por lo que puede existir durante siglos -durante eones- sin el cuerpo, hasta el día de la resurrección final; como hablaremos más adelante.

Cuando pensamos en la realidad del alma, es importante recordar que Jesús y los primeros cristianos llamaban a la muerte "un sueño". ¿Recuerdas cuando llevaron a Jesús a la hija de Jairo? Él dijo: "Está dormida", y se rieron de Él (cfr. Marcos 5, 39–40; Lucas 8, 52–53). Cuando Lázaro murió, Jesús les dijo a los discípulos: "Está dormido" (cfr. Juan 11, 11). Jesús llamaba a esto "dormir" porque, en la muerte, el cuerpo está en reposo. Está quieto y esperando. El alma ya no la anima ni le da vida. Cuando el alma se va, el cuerpo se torna frío e incapaz de cualquier movimiento. Eso es lo que hemos venido a llamar "muerte".

¡Ahora tu alma tiene un cumpleaños! Es el día de tu concepción y ese será tu cumpleaños en el Reino. La concepción es un acto real de Dios y el hombre, la creación de un cuerpo y un alma. Es un momento de asombro silencioso, un momento de peligro y sorpresa, un tiempo de amor y oración, un tiempo en el que se inicia la espera del día en que todo se cumpla. De hecho, podemos comparar la vida con los nueve meses que pasamos en el útero de nuestras madres, y podemos comparar la muerte con el nacimiento. Esto es importante: ¡nuestro tiempo en el útero no es una preparación para recibir un alma! ¡Recibimos nuestra alma en la concepción! En ese acto sagrado de unión sacramental entre un hombre y una mujer, ¡Dios insufla un alma a una nueva persona! Todo el proceso de crecimiento dentro del útero, entonces, es para el nacimiento.

Nuestra vida terrenal es de la misma manera. Después del nacimiento, la preparación comienza nuevamente para la próxima vida, la vida de la eternidad. Poco después del nacimiento, si todo va bien, hay una especie de nueva concepción, un nuevo nacimiento "en vida", en Dios: el bautismo. Cuando el alma y el cuerpo arriban al mundo, esa alma tiene que ser santificada por el Espíritu Santo. La concepción es el inicio necesario del proceso que culmina con el nacimiento; ¡El bautismo es el comienzo necesario para el proceso que culmina en el Cielo! Por eso los católicos bautizan a los niños tan pequeños. Yo nací en abril, pero me bautizaron en septiembre, y el sacerdote le preguntó a mi madre por qué no esperaba a que yo pudiera caminar hasta la iglesia. ¡Él no estaba feliz! San Pablo escribió: "Si el Espíritu de Aquel que resucitó a Jesús de entre los muertos habita en vosotros, Aquel que resucitó a Cristo de entre los muertos dará también la vida a vuestros cuerpos mortales por su Espíritu que habita en vosotros" (Romanos 8, 11).

Durante este viaje que llamamos nuestra vida en este mundo, debemos aprender a dar a Dios nuestro don más precioso: nuestra voluntad. Jesús hablaba regularmente de la Voluntad de Dios: "He venido a hacer la Voluntad del Padre" (ver Juan 5,30; 6,38). Los primeros cristianos eran muy conscientes de eso, hasta el punto que veían a Dios en todo, incluso en los leones que se les acercaban, en las persecuciones que les rodeaban. Veamos en Marcos 12, donde Nuestro Señor dice: "Pues cuando resuciten de la muerte, ya no se casarán hombres y mujeres, sino que serán en el cielo como los ángeles" (Marcos 12, 25).

Una vez más, vemos que hay una vida totalmente nueva en el cielo. Para sus oyentes que dudaban de que fueran a resucitar, nuestro Señor continúa: "Y en cuanto a saber si los muertos resucitan, '¿no han leído en el libro de Moisés… cómo Dios le dijo: Yo soy el Dios de Abraham, el Dios de Isaac y el Dios de Jacob?' Dios no es un Dios de muertos, sino de vivos (Marcos 12, 26-27). ¡Escucha lo que dice Jesús! ¡No es el Dios de los muertos, sino de los vivos! ¡En el Cielo, vivimos, compañeros! ¡No morimos! Y nuestros seres queridos en el Cielo: ¡Ellos también están vivos! Simplemente han trascendido de esta vida y se han ido a la siguiente.

Recordemos que nuestras almas están compuestas de memoria, intelecto y voluntad. Todo eso va a continuar. En el Cielo, nuestras almas disfrutarán de lo que llamamos la visión beatífica: ver a Dios cara a cara. Tú y yo ni siquiera podemos imaginar lo que eso significa, porque nadie puede ver a Dios y vivir. Ni siquiera puedes mirar al sol sin quedarte ciego: ¿Cómo podrías ver a Dios y vivir en este cuerpo? En consecuencia, nuestras almas se transforman cuando se van de aquí. ¡No están muertas!

En relación con nuestra memoria, intelecto y voluntad están las virtudes de la fe, la esperanza y el amor. El amor está en la voluntad, la esperanza está en la memoria y la fe está en el intelecto. En el Cielo, todas estas virtudes terrenales de nuestra alma serán reemplazadas. La fe será reemplazada por la visión: veremos a Dios. La esperanza será reemplazada por el conocimiento: ya no tendremos que interrogarnos acerca de Él. El amor continuará, aunque de una manera más perfecta, porque poseeremos a Dios. Por eso San Pablo dice que, de esas tres virtudes, el amor es la virtud mayor (1 Corintios 13, 13).

Hasta ahora, hemos hablado del alma, pero el alma no está completa sin el cuerpo, y el cuerpo no es más que un bulto de carne sin el alma. No somos personas completas hasta que el cuerpo y el alma estén juntos. En la resurrección general, seremos uno de nuevo.

San Pablo dice: "Pero nosotros somos ciudadanos del Cielo, de donde esperamos como Salvador al Señor Jesucristo, el cual transfigurará este miserable cuerpo nuestro en un cuerpo glorioso como el suyo, en virtud del poder que tiene de someter a sí todas las cosas" (Filipenses 3, 20-21). ¿No es maravilloso? No tenemos que preocuparnos por todas las enfermedades y desfiguraciones que sufrimos en nuestra pobre naturaleza humana porque el verdadero tú, el más perfecto, está en la mente de Dios. Te levantarás de nuevo. Este cuerpo, aunque pueda corromperse en los años venideros, resucitará.

En 1 Corintios 15, 52–53, leemos: "En un instante, en un pestañear de ojos, al toque de la trompeta final, pues sonará la trompeta, los muertos resucitarán incorruptibles y nosotros seremos transformados. En efecto, es necesario que este ser corruptible se revista de incorruptibilidad; y que este ser mortal se revista de inmortalidad". Puede que no queramos ser transformados, ¡pero el cambio es parte de la vida! La persona que eras a los seis años nunca te reconocería a los sesenta, aunque seas la misma persona. Así, en la resurrección general, ese "perfecto tú" estará allí, porque "es necesario que este ser corruptible se revista de incorruptibilidad; y que este ser mortal se revista de inmortalidad" (ver: 1 Corintios 15, 53).

¿Qué pasará exactamente con nuestros cuerpos resucitados? Veamos lo que sucedió con el cuerpo resucitado de Jesús. Lo primero que podemos considerar acerca de Jesús después de su resurrección es la luz: esta será también la primera cualidad de nuestros cuerpos resucitados. ¡Seremos tan luminosos como el sol! Jesús manifestó esta cualidad incluso antes de su resurrección el día de su Transfiguración en el monte Tabor, por lo que sabemos que también seremos transfigurados.

Ahora, esta luz tendrá diferentes grados. No todos nos veremos tan brillantes como los demás. Todo depende de la cantidad de amor que tengamos por Dios cuando muramos. Ese fue el secreto de los primeros cristianos. Conocían al Dios-Hombre resucitado, y sabían que cuando murieran, sin importar cuán horriblemente lo hiciesen, ¡iban a recibir la misma gloria! También sabían que iba a depender de cuánto estuviera su voluntad unida a la de Dios, que es solo otra forma de decir cuánto amaban a Dios. Si reconocemos que no tenemos el hábito de unir nuestra voluntad a la suya, ¡podemos comenzar ahora mismo, siempre!

Podemos ver un poco sobre esta gloria del Cuerpo del Señor y nuestro cuerpo resucitado en las Escrituras. Cuando san Esteban estaba siendo apedreado, miró hacia arriba y de repente vio este intenso brillo: el Hijo a la derecha del Padre. Pablo vio una tremenda luz que literalmente lo derribó del caballo. ¡La luz lo cegó!

La segunda cualidad que tendrá nuestro cuerpo después de la resurrección será la incorrupción, lo que significa que nunca tendremos enfermedades ni dolores, ni indigestión, ¡nada! Nuestros cuerpos vivirán para siempre sin descomponerse, sin deterioro o daño de ningún tipo. Es muy difícil para nosotros entender algo verdaderamente incorrupto. Hay tantas cosas de nuestro cuerpo aquí que son tan delicadas. Pero en el Cielo, ni siquiera necesitaremos comer -aunque mantendremos la capacidad de hacerlo-. ¿Recuerdan cuando nuestro amado Señor se apareció a los Apóstoles después de la Resurrección y se quedaron petrificados? Él dijo: "¿Tienen algo de comer?" Se quedaron atónitos de que

Él pensara en la comida en un momento como ese. Le dieron pescado y un trozo de pan. Puedo imaginar a esos Apóstoles mirándolo con asombro.

El cuerpo también conservará los sentidos. La diferencia es que ahora estos gobiernan nuestra voluntad, pero en el Cielo será nuestra voluntad, unida a Dios, la que gobierne los sentidos. Eso es parte de lo que significa estar incorrupto. Eso lo encontraremos en Jesús.

La tercera cualidad que tendrá nuestro cuerpo es la "agilidad", en el sentido de que el cuerpo adquirirá las propiedades de un espíritu. Basta una mirada al Evangelio de Juan 20, 26: "Ocho días después, estaban otra vez sus discípulos dentro y Tomás con ellos. Se presentó Jesús en medio estando las puertas cerradas". Juan sigue diciéndonos que las puertas estaban cerradas, ¡pero Jesús apareció en medio de ellos! También sabemos que la tumba de Jesús estaba sellada, pero Él caminó a través de la roca, y luego se produjo un terremoto que la derribó. ¡Tendremos ese poder!

Esa "agilidad" también nos permitirá viajar con extraordinaria rapidez. Nuestro Señor, después de la Resurrección, parecía estar en todas partes a la vez: hablando con María Magdalena, con las mujeres, con Pedro y con los discípulos que iban a Emaús, y en la orilla del mar (cfr. Juan 21, 1-14). Podremos viajar con nuestro cuerpo resucitado a la velocidad del pensamiento. Podría decir: "Me gustaría

ir a Roma", y, de pronto, poder exclamar "¡ahí estoy!".
Aún mejor, iremos a cualquier lugar al que Dios quiera
que vayamos.

Volvamos de nuevo al Evangelio de Juan, donde Jesús
dice: "No os extrañéis de esto: llega la hora en que todos
los que estén en los sepulcros oirán su voz y saldrán los
que hayan hecho el bien para una resurrección de vida"
(Juan 5, 28-29). No serán solo los cuerpos de los que se
salven los resucitados. De manera que podrías preguntarte:
"¿Cómo se verán los condenados?" En pocas palabras, serán
absolutamente horribles y grotescos. Esa es la elección que
tenemos en vida: entre el Cielo y el Infierno. Todos los
hombres se levantarán el último día. Los demonios, caídos
del Reino, serán sólo espíritu; pero los seres humanos que se
condenaron a sí mismos al Infierno se levantarán de entre
los muertos en cuerpo y alma, con los cuerpos más feos que
se pueda imaginar, y así serán para siempre.

Necesitamos pensar claramente cuando surgen ocasiones
para pecar. Cada vez que tomamos una decisión por el pecado
mortal, elegimos el Infierno sobre el Cielo. Si sabemos que
lo que estamos haciendo está mal, y es serio, y decidimos
hacerlo a pesar de todo, ¡entonces hemos elegido ser una
persona fea y grotesca para siempre!

He vivido algunas cosas bastante difíciles en mi vida,
y si las juntara todas haciendo un montón de miseria, ni

remotamente ese montículo se parecería a la miseria del Infierno, donde estaría yo sin Dios por toda la eternidad. La Iglesia siempre nos pide que consideremos las cuatro últimas cosas: la Muerte, el Juicio, el Cielo y el Infierno. Tenemos que pensar en estas cosas porque llegarán, de una forma u otra. ¡No hay nada que podamos hacer para detenerlo! ¡Viviremos por los siglos de los siglos! Nada ni nadie puede acabar con tu vida. La pregunta es cómo será esa vida. La muerte terrenal es una transición de un tipo de vida a otro. Podríamos elegir el Infierno, pero es opción nuestra y viviremos en esa elección para siempre. Si elegimos el Cielo, uniendo nuestra voluntad a la de Dios, viviremos allí con Él para siempre.

Ahí, amigos míos, espero verlos. Todos tendremos que pasar de una vida a otra. Oremos para que se nos invite a cantar con los ángeles: "Amén. Alabanza, gloria, sabiduría, acción de gracias, honor, poder y fuerza, a nuestro Dios por los siglos de los siglos. Amén" (Apocalipsis 7, 12).

¡Dios te bendiga! ¡Te amo! ¿Podemos vernos en el Cielo?

∞

Madre M. Angélica
(1923–2016)

La Madre María Angélica de la Anunciación nació el 20 de abril de 1923, en Canton, Ohio. Sus padres le dieron el nombre de Rita Antoinette Rizzo. Después de una infancia difícil, la curación de un recurrente dolor estomacal condujo a la joven Rita a un proceso de discernimiento que concluyó con su ingreso a las Clarisas Pobres de la Adoración Perpetua, en Cleveland.

Trece años después, en 1956, la hermana Angélica le prometió al Señor, mientras esperaba ser sometida a una cirugía a la columna, que si Él le permitía caminar de nuevo, le construiría un monasterio en el sureste de los Estados Unidos. En Irondale, Alabama, la visión de Madre Angélica empezó a tomar forma. Su enfoque distintivo para enseñar la fe la condujo a dar charlas parroquiales, elaborar folletos y libros, y posteriormente a tener oportunidades en la radio y la televisión.

Para 1980, las hermanas habían convertido un garaje del monasterio en un sencillo estudio de televisión. Allí nació EWTN. Madre Angélica ha sido una presencia constante en la televisión de los Estados Unidos y en todo el mundo por más de treinta y cinco años. Innumerables conversiones a la fe católica se han atribuido a su don único para presentar el Evangelio: alegre pero resuelto, sereno pero enérgico.

Madre Angélica pasó los últimos años de su vida enclaustrada en el segundo monasterio que fundó, Nuestra Señora de los Ángeles en Hanceville, Alabama, donde ella y sus hermanas estaban consagradas a la oración y adoración de Nuestro Señor en el Santísimo Sacramento.